Adolescentes

Transformando tu relación con ellos
en 12 pasos

Adolescentes

Transformando tu relación con ellos en 12 pasos

Blanca Mercado

EDITORIAL
PAX
MÉXICO

Título de la obra: *Adolescentes. Transformando tu relación con ellos en 12 pasos*

COORDINACIÓN EDITORIAL: Matilde Schoenfeld
CUIDADO DE EDICIÓN: Sagrario Nava
PORTADA: Víctor M. Santos Gally
DIAGRAMACIÓN: Ediámac

© 2011 Editorial Pax México, Librería Carlos Cesarman, S.A.
    Av. Cuauhtémoc 1430
    Col. Santa Cruz Atoyac
    México DF 03310
    Tel. 5605 7677
    Fax 5605 7600
    www.editorialpax.com

Primera edición
ISBN 978-607-7723-86-8
Reservados todos los derechos
Impreso en México / *Printed in Mexico*

A mis hijos Carlos, Ernesto y Mariana por acompañarme con tanto amor.

A mis padres y hermanos por su motivación.

A la Universidad de Guadalajara, Universidad del Valle de Atemajac, Iteso, Universidad La Salle, Colegio Cervantes, Universidad América Latina, Educare y otras instituciones que me abrieron las puertas para trabajar en diferentes áreas de la educación.

Al Señor Jorge Vergara, que con su inmenso amor por la educación para los jóvenes de México me permitió trabajar libremente en su proyecto, lo que me acercó a descubrir nuevos matices en la educación.

A ti, señor José de Jesús Ruiz Ángel por ser el primer director que tuvo fe en mi trabajo.

A mis maestros y guías, y amigos.

A mis amados alumnos por su apertura y entrega en cada taller de Desarrollo Humano.

Pero por sobre todas las cosas a Dios, mi fortaleza, sin el cual nada tendría sentido.

Con afecto y cariño a todos aquéllos que pusieron obstáculos a mi vocación, y a quienes tuvieron confianza, porque con ello lograron hacerla más firme y constante.

Índice

Presentación

"La flor de loto no crece más aprisa porque tires de ella hacia arriba, todo tiene su proceso de maduración"
AFORISMO CHINO

Iniciaré este libro agradeciendo a todos los jóvenes que durante mi experiencia como maestra, directora y asesora estudiantil me regalaron con su confianza la oportunidad de reconstruir y sanar mi adolescencia.

Este libro es una guía para padres, maestros y todas aquellas personas que busquen independientemente de su edad o de su función convivir con los jóvenes.

Todo comenzó en una escuela denominada "alternativa", donde los límites, aparentemente, no se encontraban muy claros. Me parecía una mezcla entre la educación tradicional y la pedagogía más actualizada en busca de mejores resultados en la tarea de formación de los jóvenes.

Después de 15 años de experiencia frente a grupo, sintiéndome segura de que estaba preparada para trabajar y convivir con los jóvenes, consideré un cambio de trabajo y lo hice a esta escuela.

El panorama era muy atractivo. En la primera reunión el director nos invitaba a formar jóvenes exitosos y felices. Imaginé que encontraría adolescentes exigentes en la búsqueda del conocimiento, entre muchas otras características. Como siempre me había distinguido por ser una maestra que involucraba a los alumnos con su clase de inmediato (lo cual me generaba orgullo y satisfacción), inicié mi labor con entusiasmo. Fue entonces cuando recibí una lección muy importante.

La sorpresa fue grande, la Institución rompía todos mis esquemas mentales. Me encontré con estudiantes de secundaria y preparatoria que vivían con sus propias reglas, las cuales variaban de vez en vez, de acuerdo con sus intereses.

Los primeros días fueron difíciles y lo tomé como un reto personal. Parecía una lucha de poder entre el adolescente y el adulto. El apoyo por parte de la coordinación era excelente, pero en este caso, no lo era todo. Utilicé las mejores herramientas que tenía en mis manos, los trucos más sobresalientes y brillantes que habían generado excelentes resultados con mis ex alumnos. Sin embargo, nada daba resultado.

Desesperada pero no vencida, busqué la forma de acercarme a ellos. Estudiaba su comportamiento durante los recesos.

¿Qué es lo que nos pedían con sus gritos, protestas, con esa actitud de rebeldía manifiesta? ¿Era flojera, apatía al trabajo… o algo más?

Algunos maestros de nuevo ingreso decían que la escuela era un infierno, entraban y salían del salón desesperados, desanimados. Hablaban de que en esta escuela no había reglas. No se permitían las tareas, evaluaciones numéricas ni castigos. Tenías que convencerlos del trabajo. Todo ello lo teníamos ganado en una escuela tradicional, donde el alumno se encuentra convencido de que tiene que estudiar y trabajar independientemente de lo atractiva que resulte tu clase.

Algunos profesores comentaban: "¡No puedo creerlo! Me han dicho que no les gusta mi clase, me han reclamado que el material que utilizo no es atractivo. ¿Qué saben ellos de pedagogía?" Otros guardaban silencio, al parecer habían negociado su estancia con los alumnos siendo permisivos y tolerantes. Yo no estaba dispuesta a trabajar así. Yo quería entenderlos. Ahora, por primera vez, estaba frente a los adolescentes sin esa coraza protectora con la que había estado durante esos quince años. El liderazgo, el rango, el nivel de maestro sobre el alumno, mi banca, la tarima, el escritorio. Todo se había derrumbado. Estaba frente a frente. Alumno contra maestro. Por lo menos así lo estaba sintiendo. Pero yo deseaba algo más que una batalla ganada.

Hablé con ellos. Me acerqué y descubrí el secreto. Y hoy, quiero compartirlo contigo.

Después de estudiar las características de una escuela alternativa, su ideario educativo que nacía con el objetivo de trabajar por una renovación pedagógica, y partía de la crítica para y por la libertad de pensamiento, este tipo de escuelas se convirtió para mí en un atractivo espacio desde el actuar, pero siempre a partir de un proceso transformador amplio y profundo.

La enseñanza radicaba en el sacrificio progresivo de la autoridad en beneficio de la libertad. Hablamos de una educación por motivación y no por disciplina, en la que se requería y se permitía implementar métodos y proyectos que convencieran al adolescente de las ventajas de su aprendizaje.

El comienzo

Era el grupo de tercero de secundaria, tenía una semana de haber iniciado el curso de español. Después de establecer reglas claras, y suponiendo que el grupo se encontraba involucrado, decidí dejar una actividad de investigación para que el alumno plasmara sus ideas con creatividad. Ninguno entregó la actividad. Lógicamente, no sólo no me sorprendió, sino que me molestó bastante. Supuse que era apatía al trabajo por parte de estos jóvenes y, después de un largo discurso, opté por… ¡Escucharlos!

Uno de ellos comenzó a hablar. Parecía sorprendido por mi enojo y expresó con claridad ¡que ellos no estaban acostumbrados a cumplir instrucciones!, ya que muchos de sus maestros sólo pedían trabajos que jamás revisaban, y otros tantos desistían de seguir pidiéndolos después de los primeros fracasos, e insistía que no entendía por qué me interesaba tanto que cumplieran.

Otro me preguntó la razón por la que había aceptado el trabajo, y me cuestionó si era por el sueldo que pagaban (el cual era muy bueno).

Una alumna preguntó si realmente eran ellos lo que me importaban, y que si, como otros maestros, diría que "lo hacía porque los quería, y buscaba sólo su bienestar".

Fui clara y honesta y les manifesté que no disminuiría el ritmo de trabajo. Que cada acto tiene sus consecuencias, y que aun cuando no podía decir que los quería a ellos en especial, sí podía afirmar que amaba mi labor como docente y no desistiría, y si ellos pedían mi cambio lo entendería, pero yo sólo haría lo que creía que era correcto.

Esa noche no pude dormir. Pensando en mi grupo, preparé mi clase con algunos matices de ubicación de su nivel académico.

Descubrí que habían ocultado muy bien sus tremendas dificultades para leer, comprender y redactar un texto, así como su frustración, la cual reflejaban con molestia ante el guía que los exponía frente a su dificultad. Pero también me percaté de su apertura, lo que me motivó a hablar con la coordinadora y le expliqué la situación en que me encontraba.

Ningún alumno se había ido a quejar con ella. Le hablé de mi propósito y de mi proyecto y me apoyó totalmente, con la condición de entrar a observar mi clase en cualquier momento, lo cual, en esta situación específica, no me preocupaba en lo absoluto.

Ese día, frente aquel grupo, después de más de quince años de experiencia docente, comencé a ser maestra de adolescentes.

Decidí cambiar de estrategia. Recibí trabajos de redacción sin importar la ortografía, con ello me percaté de que realmente era severo su problema. Partí de lo que tenía, comencé a descubrir sus dificultades y a ofrecerles oportunidades de reconocimiento.

Los primeros trabajos de redacción tenían errores garrafales, pero con una gran calidad emotiva. Les hacía ver todo lo bueno de sus actividades y no sólo subrayaba los errores.

En la segunda etapa, cuando el grupo disfrutaba de la escritura, comencé a señalar con un pequeño punto los errores, y ellos mismos debían buscar la corrección.

En una última etapa, el alumno escribía y realizaba sus propias correcciones, y disfrutaba de los resultados.

Esta breve experiencia me permitió descubrir el primer elemento indispensable para el trabajo con adolescentes: "la empatía".

En la relación con los jóvenes
es indispensable considerar
lo que a ellos les resulta
importante y significativo.
Descubre… ¿Qué es lo que está buscando
ese adolescente que tanto te provoca?

LA EMPATÍA

Los jóvenes tratados como imposibles de educar,
casi siempre llegan a ser imposibles de educar.
KENNETH B. CLARK

Para trabajar con adolescentes (y para vivir con un adolescente), la empatía es indispensable.

Ser formador de adolescentes con actitudes desconcertantes implica que en lugar de sólo inquietarnos, deberían ser lo primero a tener en cuenta por cualquier maestro, implica que nos cuestionemos: ¿cómo son los jóvenes con los que trabajamos? ¿Qué buscan, qué les gusta, qué sienten y cómo lo sienten? ¿Qué tan importante es para ellos el reconocimiento? Al indagar todo esto, nos armamos de herramientas para trabajar con ellos.

Este libro pretende acompañarte como padre o maestro en el difícil y apasionante reto de enseñar y formar, que yo más bien denominaría como el reto de compartir y provocar. "El autodescubrimiento". Eso es a lo que ahora llamo: enseñanza.

Iniciaremos por definir la palabra empatía: es la capacidad (o talento) de ponerse en el lugar de la otra persona. Es un don extraordinario y uno de los recursos que tanto maestros como padres de familia tenemos a nuestro alcance. Es el poder más grande para desarrollar seres humanos con alto liderazgo personal.

Todos conocemos a un maestro, tío o abuela, o cualquier otra persona, que tiene el carisma de hacerte sentir la persona más importante del mundo. Existen muchas definiciones, pero yo deseo que tú la experimentes. ¿Estás listo?

Actividad

Material necesario: una foto de tu adolescencia, un cuaderno, pluma o lápiz, tu música favorita.
Comenzamos…

✓ Consigue una fotografía de cuando tenías entre 11 y 14 años.
✓ Busca un espacio donde puedas estar solo por unos minutos y comienza relajándote, respira profundo.
✓ Inhala y cuenta hasta ocho sin soltar el aire, ahora exhala. Repite el procedimiento tres veces más.
✓ Cierra los ojos y relaja cada parte de tu cuerpo, primero tus pies, pantorrillas, piernas; después tu cadera, columna, espalda, brazos, manos, dedos, cuello y cabeza. Durante el tiempo que dure una melodía no hagas más que descansar.

Al terminar la música puedes sentarte, toma tu fotografía, obsérvala y descubre qué sentías en ese momento, en esa época. ¿Te gustabas físicamente? ¿Tenías algún apodo? ¿Cómo te sentías al escucharlo? ¿Qué música te gustaba? ¿Cuál era tu color, tu olor favorito? ¿Qué comida disfrutabas más? ¿Quién era la persona más cercana a ti en ese momento? ¿Cómo era esa persona físicamente, espiritualmente, qué era lo que más admirabas de ella? ¿Había algún adulto que te hubiera hecho sentir mal? ¿Cómo era? ¿Qué sentías específicamente?

Al terminar, anota en tu libreta todas las respuestas que vengan a tu mente. Éstas son verdaderas herramientas de trabajo con un joven, independientemente de la escuela, la ideología o la familia a la que pertenezcan.

La empatía te permite acercarte, percibir, sentir el porqué, en lugar de juzgar solamente.

Tengo la firme convicción de que si las personas dejáramos de vivir centradas en nosotras mismas y nos permitiéramos explorar las relaciones con los otros, nos facilitaría la comprensión, pues ésta es la clave de una relación auténtica de acompañamiento, ausente de juicios.

Un factor que aterra al adolescente es ser juzgado por el mundo adulto; ello que se convierte en una barrera que nos impide acercarnos a su mundo y optimizar resultados juntos.

Es obvio que somos diferentes generaciones, y esa es una distancia natural. Estamos separados, somos distintos, pero la conciencia es similar en todo ser humano, independientemente de su sexo, edad o condición social.

El primer paso consistirá entonces en reconocer que nuestro problema generacional y de comunicación comienza cuando no nos comprendemos a fondo. El convivir y trabajar con adolescentes conlleva necesariamente a un conocimiento propio, y esto es más importante que el contenido mismo de cualquier materia. Una vez que lo comprendamos, la materia, el tema o la idea a transmitir a un grupo de adolescentes sale sobrando, pues el éxito está garantizado al iniciar nuestro trabajo de empatía con los jóvenes.

Así, podemos partir desde el reconocimiento sincero de: ¿dónde estamos?

Entonces aparecen las siguientes preguntas: ¿nos interesamos realmente por el bienestar de nuestros jóvenes, o por la seguridad y satisfacción personal? ¿No será que buscamos, en lugar de acompañarlos en su adolescencia, que nos acompañen, nos reconozcan y nutran esa parte débil? ¿No será que, como adultos, al igual que un joven, buscamos reafirmarnos? Vivimos en torno a nosotros mismos y para nosotros mismos.

Definitivamente, sólo construiremos una mejor sociedad si logramos una clara percepción de cada uno de nosotros.

El éxito de nuestro trabajo y convivencia con adolescentes consiste en saber ser facilitadores procesales, es decir, en saber acompañarlos en su propio proceso de aprendizaje, no sólo de contenidos, sino también de valores y forma de vida. Esto requiere que como adultos desarrollemos habilidades esenciales, tales como:

- Saber comunicarnos
- Saber escuchar
- Saber cómo, cuándo y la forma de confrontar
- Saber respetar el proceso en que se encuentra el joven
- Flexibilizar nuestro interés de acompañar

La empatía, como primer paso, implica reconocer y entender la realidad del otro y entrar en ella, en lugar de que como padres o maestros exijamos que el joven entre en nuestra forma de ver las cosas.

Decirles lo que tienen o deben hacer, sin antes acompañarlos, no funciona.

Para que el adolescente escuche nuestra razón es primordial que antes se haya sentido comprendido, escuchado, acompañado, respetado y aceptado, de esta forma construiremos un puente generacional de mutua comprensión.

Por lo tanto, si en verdad queremos acompañar y ser facilitadores, tenemos que conocer lo que es importante para ellos, saber qué es lo que quieren, y entonces procurar acercarlos, ayudarlos de alguna forma a que obtengan lo que ellos particularmente desean.

Pero antes de conocer y acompañar a otro individuo, el paso previo es empezar a acompañarnos, reconociendo cuáles son mis puntos fuertes, mis puntos débiles, mis circunstancias; cómo funciono mejor, mis alcances, el respeto que otorgo a mi cuerpo y a mi salud; reconocer, en pocas palabras, dónde estoy y a dónde pretendo llegar.

Es decir, para poder ser facilitadores y acompañadores debemos revisar qué tanto nos estamos acompañando en este momento en lo personal.

En una ocasión, una joven llamada Dalia expresó dentro de clase que se había dado cuenta que no le gustaba la materia, le resultaba tediosa y la detestaba, y consideraba que hablaba a nombre del grupo. Debo agregar al contexto que esta joven era y siguió siendo una excelente alumna que jamás había mostrado dificultad alguna en mi materia. Le pedí que lo habláramos al finalizar la clase, pero parecía no escucharme. Fue uno de sus compañeros quien le aclaró que el grupo quería seguir con el tema que estábamos tratando, lo que facilitó el trance.

Al terminar la clase me di tiempo para hablar con ella. No le pregunté las razones de su actitud, sólo le dije que para poder ingresar a la clase nuevamente tendríamos que hablar. Sus ojos estaban llenos de ira. No contestó, bajó su mirada y pude sentir una gran tristeza, mas desconocía su razón. Al finalizar ese día, la joven me buscó. Me enseñó un ejercicio que había realizado sobre la materia. Después de leerlo, la felicité y me despedí amablemente. Sólo di unos pasos. Me detuvo y me abrazó. Se sentía muy sola y molesta esa mañana. Su madre la había golpeado y acusado injustamente, además de amenazarla con sacarla de la escuela. Sin darse cuenta, había traslado su coraje hacia la figura del maestro, pues ella deseaba pelear con su madre, defender su punto de vista, y no se atrevía, así que por determinada circunstancia sintió la necesidad de sacarlo en mi clase. La escuché, y su desempeño en clase terminó siendo extraordinario, y nuestra relación más cercana, que era lo que yo pretendía finalmente.

Lo que jamás olvidaré es la grandiosa experiencia de haber respetado su tiempo, sin olvidar los límites. Fue ella quien realizó su proceso. Yo sólo la acompañé y le facilité el camino de la reflexión y la búsqueda de expresar sus emociones en un ambiente más adecuado.

(Gracias, Dalia, por este regalo.)

Actividad

Recuerda una situación en la que hayas tenido dificultades para relacionarte con un adolescente.

El primer paso será narrar la situación desde tu *yo*, es decir, desde tu punto de vista. Revive la situación desde tu perspectiva. Anota tu respuesta brevemente en los siguientes renglones.

_____

_____

_____

_____

_____

_____

Ahora, en una segunda posición, hazlo desde el *tú*, es decir, desde el punto de vista de la otra persona implicada en el problema.

_____

_____

_____

_____

_____

_____

Finalmente, en una tercera posición, como observador que te mira a ti y al otro. Como una persona ajena. Puedes imaginar recursos para ambas partes y modificar actitudes. Visualiza un futuro próximo en mejores circunstancias.

_____

_____

_____

_____

_____

_____

Para acercarte a un adolescente
lanza un puente
más allá del abismo de tu verdad.
Intenta ver, escuchar y sentir.
Pero, sobre todo,

esfuérzate por amarlo
en vez de buscar tener siempre la razón…
Para acercarte a un adolescente
tienes que liberarte, ante todo, de ese exceso por controlar
que tanto llena tu ego;
que no deja más sitio en esa habitación
que para ti mismo.

A continuación voy a compartir contigo un ejercicio que puede ayudarte a cambiar la manera en la cual ves y actúas ante situaciones de la vida.

Siéntate en el suelo sobre un cojín; elige música suave y armoniza el ambiente estimulando todos tus sentidos: un aroma agradable, texturas suaves… Y pregunta en tu interior ¿Quién soy? ¿Quién soy? ¿Quién soy? Hasta que empieces a sentir, ver, oler, oír y gustar lo que eres.

Al finalizar la melodía busca aceptarte, y prepárate para un ejercicio más profundo.

Párate desnudo frente a un espejo, mírate fijamente a los ojos, sin mover tu mirada de un punto fijo, y trata de sentir (miedo, dolor, enfermedad, coraje, indecisión, alegría, desprotección, terror, angustia, etcétera).

Aprende a saber quién eres realmente, para que recuerdes tu misión en el mundo y fortalezcas tu vocación de padre, maestro o guía.

Este capítulo pretende que reflexionemos sobre nuestra actitud o forma de percibirnos. Porque la forma en que nos percibimos y conocemos permite percibir y conocer a los otros.

El profesor demuestra su excelencia como educador cuando
puede convertirse en el estudiante de sus alumnos.
G. FUNDADORA HERRERA

PADRES: pongan en práctica la empatía con sus hijos. Busquen la oportunidad de observar la situación desde su dimensión. Después, inviten a su hijo a que comparta sus sentimientos. Aprovechen la oportunidad para conocerse más.

MAESTRO: invita a tus alumnos a analizar el tema. Incluso puedes realizar la siguiente actividad: Sugiere que dos compañeros (preferentemente hombre y mujer) intercambien los zapatos, se coloquen cada uno en un extremo de aula y lleguen al mismo tiempo con los zapatos de otro al centro del aula. La actividad es graciosa, pero después de que expresen lo que sintieron aplícalo a la vida diaria. ¿Qué se siente estar en los zapatos del otro?

La empatía, como primer paso, implica reconocer
y entender la realidad del otro y entrar en ella,
en lugar de que como padres o maestros exijamos
que el joven entre en nuestra forma de ver las cosas.

COMUNICACIÓN ABIERTA

La comunicación es el solvente de todos los problemas.
L. RONALD HUBBARD

Comunicación es más que el simple intercambio de las ideas. En ella se comparten sentimientos y emociones.

De nuestra habilidad para comunicarnos depende nuestro triunfo y el de cualquier persona.

El propósito de comunicarnos reside en comprendernos. Lo que se comprende, se acepta; lo que no se logra entender, se rechaza.

Los seres humanos debemos buscar ser buenos comunicadores. Al exponer cualquier tema o idea, comunicar debe ser nuestra intención. Al comunicarnos, no hay que tratar de impresionar, sino de ser comprendidos.

Al trabajar con adolescentes, es necesario tomar en cuenta sus intereses, su educación, su entorno, su realidad y la forma en que se expresan.

Para ser persuasivos debemos ser creíbles;
para que seamos creíbles,
nuestras palabras deben ser verosímiles;
para que sean verosímiles, deben ser verdaderas.
EDWARD R. MURROW

Un mismo mensaje puede tener diferentes significados. La perspectiva de una persona determina su modo de interpretar los mensajes. No basta comprender la visión del otro, también debemos sentir la fuerza emocional de su respuesta.

Los problemas de comunicación surgen cuando suponemos que todos ven las cosas desde la misma perspectiva que nosotros. Entonces nos encontramos ante la incapacidad de comprender al otro debido a una pobre comunicación.

Al asumir la perspectiva de la otra persona mejora la relación, suscitamos simpatía y respeto. Para llegar a un acuedo sano hay que entender los intereses comunes y los que se oponen; antes de responder, sería sensato asegurarnos de que sabemos lo que el receptor está sintiendo, y abstenernos de epresar aprobación o desaprobación respecto a los sentimientos. No sólo hay que comprender la postura de la otra persona, sino también hacerle saber que le hemos comprendido. En ese momento estaremos listos para generar opciones.

Algunos aspectos que favorecen la comunicación con el adolescente son los siguientes:

✓ Evita juzgar prematuramente, es decir, la temida actitud crítica a la opinión de los otros.
✓ No busques una única respuesta sin permitir que fluyan varias alternativas.
✓ Concéntrate no sólo en tus necesidades, percibe también las de tu receptor.
✓ Evita tomar una posición parcial y unilateral, pues esto cierra el paso a la comunicación.
✓ Finalmente, permite el cambio.

Como adultos, el miedo nos hace aferrarnos a nuestras convicciones, pues el cambio implicaría reconocer que hay otras formas que desconocíamos para afrontar el problema, y esto es todo un reto que no muchos padres o maestros estamos dispuestos a afrontar.

Ya lo hemos señalado en el primer capítulo, tender un puente crea nuevas opciones para satisfacer a las partes, pero ello implica compromiso. Además, el fantasma de querer que sea el otro el que ceda o cambie a mi favor nos acompaña veladamente, puesto que somos individuos independientes con necesidades e inquietudes, y en muchas ocasiones con intereses opuestos; sin embargo, el cambio de conducta necesario para mejorar la comunicación la mayoría de las veces se le otorga al joven.

Nos olvidamos de que el proceso de la búsqueda de un acuerdo enriquece enormemente al que lo inicia, quien terminará siempre fortalecido. Pero no todas las cuestiones serán negociables, el adulto deberá ser capaz de reconocer cuando en un tema cabe persuasión o no, basándose en la razón.

Para mejorar los puntos tratados:

1. Escucha atentamente. Es una de las mejores maneras de comunicarte.
2. Pregunta asertivamente. Pensar positivo es la razón del éxito.
3. Analiza y busca acuerdos, es decir, sé flexible.
4. Respeta. Elimina el prejuicio y la parcialidad.
5. Disfruta de lograr acuerdos, de saber que no poseemos la verdad absoluta. Hay quien dice que existen tres categorías: mi verdad, tu verdad y la verdad, definitivamente he vivido esta afirmación. El conflicto surge cuando no coinciden nuestras verdades. Es también la oportunidad de aplicar los recursos para conciliar nuestros puntos de vista, separar los intereses personales de las resoluciones y

compartir experiencias, esto es: "equilibrio de poder", saber rectificar cuando cometemos un error, aprender de las equivocaciones y seguir adelante.

6. Reconocimiento de la búsqueda de un beneficio mutuo.
7. Escucha sin interrumpir, con apertura y tolerancia. Aplica una regla de oro: "si lo que tienes que decir no es agradable, piénsalo bien antes de hacerlo", es mejor callar cuando no se tiene algo bueno por decir.
8. Sé responsable de tu mensaje y de sus consecuencias.
9. Sinceridad. Demuestra sincero interés por las personas. Ayuda a que se sientan seguras y llenas de expectativas.
10. Sentido del humor. Recuerda que la risa es el recurso más osado del adulto frente al adolescente. Quien no es capaz de encontrar la parte divertida de cualquier problema, no es capaz de comunicarse con un adolescente.

Pero ¿cuáles son los beneficios de una buena comunicación con los adolescentes?

Cuando hablamos, realizamos de forma inconsciente una selección sobre la manera en que vamos a exponer nuestras ideas, ello depende del entorno, de las condiciones, de nuestro procesamiento personal de experiencias, cultura, etcétera. Se trata de un proceso sumamente complejo, superior al simple intercambio de ideas.

Al expresarnos, lo hacemos por medio de diversos canales que podemos resumir en los siguientes:

Verbal: lo que decimos, en la forma y estructura que elijamos (anécdotas, refranes, historias, frases, etcétera).
Gestual: expresión corporal (movimientos, posiciones, ademanes…).

Espacio vital: la distancia que entablemos entre las personas.

Sonidos: el tono de voz.

Enfermedades: aun cuando te parezca increíble, con los trastornos expresamos necesidades y búsqueda de alternativas.

Dibujo y escritura: una manera especial de comunicar por medio del trazo.

Colores: los colores que usa una persona nos hablan también de sus emociones.

Al comunicarnos entran en juego múltiples factores. El joven lee nuestro cuerpo y su expresión, no sólo escucha nuestras palabras.

Esto me recuerda el taller de un joven maestro llamado Joel, cuando solicitó mis servicios. Hizo hincapié en lo siguiente: "Odio a los adolescentes, son insoportables, pero es mi trabajo y estoy a punto de perderlo. Enséñame alguna técnica para controlarlos".

Juntos descubrimos los momentos tan difíciles que vivió durante su adolescencia. Cómo se sintió maltratado y humillado por sus compañeros. Fue justo en esa etapa que su hermano mayor se suicidó en el baño de la secundaria a la que asistían. Esto lo marcó definitivamente. Su estancia en la escuela fue un infierno. Dar clases lo enfrentaba nuevamente a un proceso no resuelto de aceptación personal y duelo no vivido. Todos esos jóvenes que hoy eran sus alumnos, con sus risas le recordaban la burla y el enfrentamiento de otra época de su vida personal, lo cual provocaba un serio problema de comunicación.

Joel pretendía que sus alumnos no notasen el rechazo que sentía por ellos, y esto resulta prácticamente imposible. Fue la aceptación de su dificultad y su rechazo personal lo que lo llevó a ser más abierto. Nunca pensó que ese maestro rígido, formal y distante se transformaría en un maestro cordial, tolerante y alegre.

Cambió no sólo su actitud, también su imagen personal.

Actitudes que permiten que mejore la comunicación con los jóvenes

Cada persona, aun cuando se enfrenta a un mismo mundo, tiene experiencias diferentes que radican en sus diversos mapas mentales.

La comunicación es el resultado de la experiencia, es el único sistema que representa nuestra forma de percibir el mundo.

Al comunicarnos entran en juego múltiples factores.
El joven lee nuestro cuerpo y su expresión,
no sólo escucha nuestras palabras.

A continuación remarco aquellas actitudes que generan excelentes resultados en la comunicación con los adolescentes:

Primero. No hay nada que dé un mejor resultado en la comunicación con los temidos adolescentes, que ser auténticos. Esto quiere decir, mostrarnos tal y como somos, sin buscar aparentar ser perfectos. Permitirnos ser vulnerables y fuertes a la vez. Reconocer cuando perdamos el control de nuestras emociones frente a sus actitudes y divertirnos, si así nos lo parece, con lo sencillo que es olvidarnos de un protocolo rígido característico del mundo de los adultos (también conocido como máscaras).

Segundo. Expresar nuestras ideas lo más claramente posible y sin rodeos. No se requiere de largos discursos para convencer a un joven. Es más, desde mi experiencia resulta contraproducente, ya que después de los primeros diez minutos el joven probablemente ya no te escucha. Aun cuando su mirada parezca estática sobre nuestro rostro, su mente viaja a miles de kilómetros de distancia, lo cual significa que estamos perdiendo tiempo y energía.

Expresar nuestras ideas en forma concreta permite al joven no sólo escuchar completo el mensaje, también evita que se predisponga a una respuesta negativa, sin entender siquiera lo que se le pidió. Muchas veces les molesta reconocer que no nos entendieron, y que sinceramente, ni siquiera lo intentaron.

Tercero. Ofrecerles alternativas y escuchar las propuestas de su parte. Cuando los adultos sabemos con claridad lo que esperamos de los adolescentes y se los damos a conocer ofreciéndoles dos o tres alternativas al respecto, es sorprendente el agrado con el que joven cumple lo que promete, por la sencilla razón de que le has dado el poder de elección.

Algunos padres o maestros se sienten incómodos al escuchar propuestas de los jóvenes para solucionar conflictos, y en diversas ocasiones no se permiten escucharlos por temor a perder autoridad, lo cual es un tremendo error.

He visto la cara de sorpresa de muchos padres cuando el joven es quien establece la consecuencia de una actitud que tratan de erradicar. Ésta resulta ser, incluso, más severa que la que ellos como padres hubieran establecido.

Recuerdo una sesión en que uno de los padres reclamaba que su hijo se negaba a realizar sus deberes, poniendo una y mil excusas absurdas. Cuando le solicité que me explicara la consecuencia que aplicó a su hijo por no haberlo hecho, se quedó en silencio. Después de un rato, preguntó: "¿Qué la consecuencia no fue mi desprecio?" De forma increíble, cuando le pregunté al adolescente qué consecuencia sugería en caso de no cumplir con sus obligaciones, ante el rostro sorprendido de los padres solicitó la suspensión de sus derechos a divertirse.

Efectivamente, en ocasiones los jóvenes son más duros que nosotros mismos y más claros si los escuchamos.

Cuarto. Cumplir con lo prometido, bueno o malo. Lo mejor surge cuando los padres o maestros dejan de amenazar y comienzan a cumplir con las consecuencias establecidas sin dudar, de forma inmediata, y lo mejor... sin expresar ira, sino todo lo contrario, expresando con naturalidad nuestra preocupación y afecto.

Una de las técnicas que ha facilitado mi conexión con los adolescentes en el ámbito de la comunicación es respetar el principio de escuchar lo que ellos pretenden decir, no lo que yo quiero escuchar. Esto es, al escucharlos presto atención al tono de su voz, gestos y actitudes, utilizo todo los recursos necesarios para interpretar el mensaje lo más apegado a la realidad. Tomo mi tiempo para verificar si lo que yo escuché es lo que ellos quisieron decirme.

En un principio puede resultar extenso y cansado, pero vivir los resultados me da la certeza de que es una buena alternativa.

A los padres que confían en el proyecto de Contraterapia (doce pasos para ser un joven triunfador) siempre les recalco, para su sorpresa, que me pagan por hacer algo que a ellos les tocaría hacer: "Escucharlos". Lo sorprendente del taller es cuando aprenden lo sencillo que esto es.

El siguiente texto tiene como finalidad hacerte tomar conciencia de las murallas que a veces un adolescente construye...

Vivo dentro de una prisión
que está más allá del abismo,
que está protegida con murallas
donde me encuentro lejos de ti papá,
lejos de ti mamá y de todos.
Donde me siento a salvo y grito para que te alejes,

Y donde lloro si no intentas acercarte.
Si alguien me amara, me encontraría y ya no estaría
como estoy.
¡Solo!

CARTA ANÓNIMA DE UN ADOLESCENTE

Ejercicio

Examina las murallas que has construido alrededor de ti, y que impiden la comunicación abierta y sana con quienes te rodean.

Observa los resultados. Toma conciencia del grado de confianza y seguridad que te ofrece y verifica el origen de los conflictos que más se te presentan. Anota tus conclusiones en el siguiente espacio.

_____

_____

_____

_____

_____

_____

_____

Este capítulo está dedicado a Laura, una chica de once años con tendencia al suicidio y con permanente tratamiento psiquiátrico.

Dentro del taller que imparto, afortunadamente puedo trabajar con padres y adolescentes cuando así lo permiten. De este taller surgió la necesidad de contacto con la madre de Laura, la cual sentía un rechazo especial por la chica en virtud de su asombroso parecido con su ex marido. Una de las tareas para mejorar su comunicación fue un ejercicio de 30 minutos al día de diálogo atento con su hija.

Como era de esperarse por la actitud de la madre, no se pudo cumplir con el tiempo, el cual se disminuyó hasta llegar a sólo cinco minutos al día. Grande fue mi sorpresa cuando Laura me pidió que suspendiera la tarea a su madre, pues ella observaba el terrible esfuerzo que le representaba. Decidió que estaba lista para cubrir esa necesidad personal de afecto y comunicación por sí sola. Es una lección de crecimiento personal que jamás olvidaré.

Ésta y muchas historias más hacen que ame mi trabajo con adolescentes, y que cada vez sea más fascinante.

Una vez que has abierto el canal de comunicación con los jóvenes, es cuestión de recordar ser auténticos siempre, lo cual favorece nuestro desarrollo personal.

Una de las técnicas que ha facilitado mi conexión
con los adolescentes en el ámbito de la comunicación

es respetar el principio de escuchar lo que ellos pretenden
decir, no lo que yo quiero escuchar.
Esto es, al escucharlos presto atención no sólo al tono
de su voz, gestos y actitudes, utilizo todo los recursos
necesarios para interpretar el mensaje
lo más apegado a la realidad.

PADRES: no se pierdan la oportunidad de escuchar a sus hijos. Las drogas, problemas personales, el distanciamiento y la inseguridad no pueden presentarse a inquietar a nuestros chicos si nuestra comunicación es abierta y permanente.

MAESTRO: presta atención a la comunicación como herramienta de enseñanza. Te has preguntando ¿cuál es el mensaje que transmites a tus alumnos aun sin hablar? ¿Entras con desgano o energía a tu salón de clases? ¿Eres capaz de alterar tu actividad si el ambiente del grupo así lo requiere? ¿Te gusta realmente lo que haces?

EL RESPETO Y EL CUIDADO DE SU AUTOESTIMA

*El peor de los males que le puede suceder al ser humano
es que llegue a pensar mal de sí mismo.*

GOETHE

Lo más importante y sagrado para un ser humano es el concepto de nosotros mismos. Nuestra autoestima constituye la causa de nuestros triunfos o fracasos en la vida.

El respeto hacia uno mismo nos permite acceder a la seguridad plena.

El mayor obstáculo del ser humano es el no sentirse amado y respetado, el no sentirse competente y merecedor. La baja autoestima genera depresión, ansiedad, miedo.

Los siguientes rasgos son característicos de una persona con baja autoestima, aplicable tanto para el adolescente, como para el adulto:

- Su rostro proyecta tristeza
- La persona es incapaz de reconocer logros
- No resiste en lo mínimo la crítica
- Exhibe una actitud cerrada e indiferente a su entorno
- Existe evidencia clara de intranquilidad y de ansiedad
- No muestra entusiasmo
- Se muestra estresado

- Ojos tristes
- Rostro rígido
- Hombros caídos
- Manos lastimadas por su mordedura de uñas
- Voz sin intensidad
- Pronunciación incorrecta
- No se hace responsable de lo que dice y hace

El respeto a sí mismo es una necesidad. Esto no quiere decir que estemos convencidos de todo lo que hacemos. Se trata de estar comprometidos, de respetar su realidad al máximo. Todo ser humano necesita del respeto de sí mismo. Necesita experimentar su valor, el logro de metas, sentirse merecedor de la felicidad.

La autoestima y el adolescente

Toda persona, y en especial los jóvenes, tiene la necesidad de aprecio, de sentirse visible ante los ojos de los demás; el joven que se siente amado, reconocido y aceptado, se muestra capaz. El joven que se siente cuestionado, y que prácticamente no existe, se vuelve agresivo.

A continuación formulo una serie de preguntas, las cuales te pido que respondas honestamente…

- ❏ ¿Cuándo eras joven sentías que eras valorado?
- ❏ ¿Te enseñaron la importancia de aceptarte tal y como eras?
- ❏ ¿Te estimularon para que fueras independiente?
- ❏ ¿O te animaron a que fuera obediente?
- ❏ ¿Eras libre de expresar tu opinión?
- ❏ ¿Tus padres y maestros te trataban con respeto?
- ❏ ¿Sentías que eras visible para los demás?

❑ ¿Se mostraban los adultos interesados por tus cosas?
❑ ¿Fuiste tratado con justicia?
❑ ¿Te controlaban por medio de amenazas?
❑ ¿Tenían la costumbre de castigarte?
❑ ¿Cómo reaccionabas al castigo?
❑ ¿Te inculcaron miedo a la vida?
❑ ¿Aceptaban tus errores?
❑ ¿Te sentías frustrado o reprimido?

Todos tenemos el deseo natural de ser vistos, oídos, comprendidos, y de ser tratados adecuadamente.

Nuestro concepto es una combinación de lo real, de lo imaginado y de lo sentido en cada momento.

Reconocer como maestros y padres el grado de autoestima que hemos desarrollado es sumamente importante, pues a nuestro cargo está la formación de los jóvenes, y si nuestra autoestima es baja, se requiere tomar conciencia y buscar soluciones. Así como comenzamos con la empatía hacia nosotros mismos, mejorar nuestra autoestima es parte de nuestra responsabilidad.

Ya te habrás dado cuenta de la enorme responsabilidad que implica el trabajo con adolescentes.

Aceptarnos a nosotros mismos no significa no desear cambiar, mejorar o evolucionar, significa no estar en conflicto constante internamente, aceptar lo que pensamos, sentimos, decimos y hacemos con una actitud de aprobación y compromiso; se trata de una autoafirmación, de una toma de conciencia. Es actuar con actitud de "Lo merezco".

Generar la autoestima en los jóvenes debe ser no sólo un reto, sino una meta de los adultos formadores, llámense padres o maestros. Ayudarlos a que sus expectativas de vida sean reales, que vivan una auténtica fe en ellos mismos. Generar situaciones de autocontrol de sus emociones, que puedan decidir qué sienten. ¿Cuántas veces nos hemos sorprendido aclarándoles a los jóvenes que lo que sienten no es nada? Para tristezas, las nuestras, y sobreviene un discurso en el que narramos paso a paso el sufrimiento y la manera como lo resolvimos. ¿Y ellos? ¿Nos siguen escuchando?

Darles un ambiente seguro, donde su imagen sea cuidada al máximo, creando una atmósfera democrática, llamando a las cosas por su nombre, y por qué no, darles esa sensación de poder tan regateada por los adultos, atreverse a hacerlos sentir especiales.

Hay que confiar en que hacerles ver su capacidad les genera seguridad, que sean ellos quienes se autoevalúen, se reconozcan y valoren. Todas las personas requerimos de aprobación. ¿Por qué no generarla en ellos mismos?

En muchos libros se habla de la importancia de que el joven se conozca a sí mismo, que se acepte, que reconozca sus cualidades y defectos. Éste es el paso más importante para una vida feliz.

Saúl era un joven de 19 años que acudió al taller invitado por su padre, quien estaba desesperado, pues no veía que su hijo tomara rumbo en su vida. Pasaba horas frente a la computadora. Había terminado la preparatoria, pero ni siquiera había ido a recoger su certificado. Se sentía incompetente y no quería salir de su habitación, sólo dormía y jugaba en la computadora. Pensaba estudiar una carrera relacionada con las computadoras, pues pasaba horas frente a ella. Sin embargo no iniciaba trámites. Comenzamos realzando un estudio de Orientación Vocacional y el resultado fue, como opción, la carrera de psicología. Saúl jamás había pensado que tuviera habilidades para escuchar a otras personas. Sin embargo se mostró emocionado al saber que era "capaz", palabra mágica en la vida de Saúl, y que al parecer, no había escuchado frecuentemente. Antes de terminar su taller este joven había hecho trámites para la universidad.

Hace unos meses me habló porque estaba por terminar su carrera de psicólogo. Me recordó lo importante que fue para él sentirse capaz. Seguramente será un exitoso profesionista.

Descubrir sus talentos lo hizo reubicar el rumbo. Mientras su familia lo criticó por no hacer nada con su vida, Saúl permaneció paralizado. Unas palabras de confianza le permitieron salir del estancamiento.

Actividad

Si se le pide al maestro o padre de familia que motive el desarrollo de la autoestima, el adulto debe tener una autoestima sana. Te sugiero que apliques el siguiente ejercicio a tus adolescentes, y por qué no, antes realízalo tú mismo.

1. Escribe a continuación diez cualidades que vengan a tu mente.

_____

_____

_____

_____

_____

2. Subraya de las diez cualidades aquéllas que consideres tener.
3. Escribe, sin pensar, diez defectos que tengas y brevemente, el porqué.

_____

_____

_____

_____

_____

_____

4. Divide una hoja blanca en cuatro partes. En la primera dibuja la imagen que represente tu pasado, en la segunda tu presente, en la tercera tu futuro, en la última, la imagen ideal de ti mismo, la que te gustaría que otros vieran

¿Qué te dicen de ti tus dibujos?
Obsérvalos detenidamente. Reflejan tu pasado, tu presente
y qué tan exigente eres con tu futuro.
La imagen ideal y real está muy distante.

Anota tus observaciones:

_____

_____

_____

_____

Cuando una persona se respeta a sí misma puede:

❖ Tener confianza en sí misma
❖ Ser el tipo de persona que quiere ser
❖ Aceptar todo tipo de retos
❖ Entender y aceptar el fracaso y aprender del mismo
❖ Ser tolerante con los errores de los otros
❖ Disfrutar más del presente
❖ Establecer relaciones humanas satisfactorias
❖ Ser asertivo en la comunicación
❖ Obtener éxito en lo que hace
❖ Asumir riesgos y lograr vencerlos
❖ Anteponer su propia aprobación a la externa
❖ Eliminar la culpa
❖ Tener más capacidad de dar y recibir

¿Cómo desarrollar el respeto por sí mismo?

1. Determina cuál es la razón de tu vida, tu propósito, tu misión.

_____

_____

_____

2. Establece metas claras y ponlas por escrito.
3. Controla tus expresiones y pensamientos.
4. No permitas que personas pesimistas te retengan. Relaciónate con personas asertivas.
5. Evita hablar mal de otros. Aprende a descubrir lo mejor de cada persona.
6. Evita sentirte culpable, es una forma de respetarnos.
7. Cada día pregúntate: ¿cómo puedo superarme?
8. Haz de los pequeños detalles grandes sucesos.

9. Sonríe. ¿Sabías que al sonreír recibes descargas de betaendorfina? (sustancia que genera beneficios para la salud).
10. Acéptate tal y como eres.
11. Realiza meditación diaria.
12. Realiza un plan de crecimiento personal.

Para finalizar, debemos recordar que la autoestima no depende de nuestro aspecto físico, ni de los juicios de los demás. La autoestima es un sentimiento de valía, una convicción de ser apto para la vida y sus desafíos. Es vivir con respeto a nosotros mismos, es una plena autoaceptación. Es decir, una negativa a hacernos daño. Es dejar definitivamente la culpa fuera de nuestra vida.

Ejercicio

Toma una hoja de papel y traza una línea horizontal, coloca dos puntos en los extremos. El punto de la izquierda representa tu nacimiento, el de la derecha, el de tu muerte, según los años que creas vivir.

Enseguida escribe sobre la línea, con breves palabras o dibujos, lo que has logrado hasta ahora...

Finalmente, dibuja lo que quieres lograr y establece en la línea el tiempo probable para hacerlo.

Recuerda que un adolescente con autoestima...

- ... actuará independientemente
- ... asumirá sus responsabilidades
- ... afrontará nuevos retos con entusiasmo
- ... estará orgulloso de sus logros
- ... demostrará amplitud de emociones y sentimientos
- ... tolerará la frustración.

El adolescente con baja autoestima se expresará de alguna de las siguientes formas:

▼ Hablará negativamente de sí mismo y de sus logros.

▼ Se enorgullecerá poco o nada de su apariencia.

▼ Demostrará poca imaginación y rara vez propondrá ideas originales.

▼ Hará cosas como se le diga, sin apenas aportar nada de su propia cosecha.

▼ Se sentirá incómodo cuando se le destaque o se le pregunte en clase.

▼ Buscará con frecuencia el elogio, pero cuando lo consiga se sentirá confuso y lo negará.

▼ Hará alardes cuando no sea el momento.

▼ Se adaptará a las ideas de otros. Sigue, pero raramente será el líder.

▼ Será bastante crítico con sus características personales.

▼ No podrá comunicarse con facilidad.

▼ Muestra timidez, tiene pocos o ningún amigo y elude de forma activa las situaciones sociales.

▼ Rara vez o nunca se ofrece para ayudar a los demás.

▼ No cae bien a sus compañeros.

▼ Resulta incómodo a los adultos o, por el contrario, intenta captar su atención continuamente, en forma negativa.

▼ Quiere ser siempre el centro de todo.

▼ Suele relacionarse más con cosas y animales que con la gente.

Darles un ambiente seguro,
donde su imagen sea cuidada al máximo,
creando una atmósfera democrática,
llamando a las cosas por su nombre, y por qué no,
darles esa sensación de poder tan regateada por los adultos;
atreverse a hacerlos sentir especiales.

Verificación para padres y maestros

Responde a las siguientes preguntas. Esta actividad nos servirá para autoevaluarnos.

1. ¿Te tomas tiempo para enseñar a los adolescentes, con tu actitud, a percibir el aspecto humorístico de la vida cotidiana, inclusive cuando hay problemas?
2. ¿Alientas al joven cuando una situación es demasiado difícil para él?
3. ¿Cómo reaccionas ante sus fracasos?
4. ¿Le enseñas a relajarse como una forma de enfrentar el estrés, el dolor y la ansiedad?

Ejercicio

Haz una lista de todo lo que tus papás te criticaban; analiza cuáles fueron los mensajes que escuchaste y lo que aprendiste. ¿Qué creían tus padres del dinero?, ¿del cuerpo? ¿Acerca del amor y la pareja?, ¿del sexo? ¿Acerca de tus aptitudes personales?

Ahora, analiza las creencias del entorno en el que creciste (maestros, amigos, iglesia, etcétera).

Anota tus observaciones al respecto:

_____

_____

_____

_____

_____

Una buena dosis de autoestima es de los recursos más valiosos de los que puede disponer un adolescente. Un joven con autoestima aprende más eficazmente, desarrolla relaciones mucho más gratas, está más capacitado para aprovechar las oportunidades que se le presenten, para trabajar de manera productiva y ser autosuficiente, posee una mayor conciencia del rumbo que desea seguir.

Recomendaciones

- Enséñale a esperar el éxito.
- Brinda oportunidades para que domine su temperamento.
- Enséñale a ser persistente.
- Enséñale a enfrentar y superar el fracaso.
- Aumenta su vocabulario emocional.

PADRES: fomenten cuestiones que hagan sentir valorados a sus hijos. Eviten la agresión verbal, que incluso suele ser más dolorosa que la física.

Los adolescentes con alta autoestima son los que proceden regularmente de familias en cuyos matrimonios tienen también un alto grado de estima, tolerancia y respeto, que transmiten a sus hijos.

Estos padres son capaces de proponer metas realistas a sus hijos, en una sana y adecuada programación mental, desde que nacen hasta que llegan a ser adultos.

MAESTRO: revisa cómo está tu autoestima, pues proyectamos como nos sentimos a los demás, y en especial a los adolescentes, que se encuentran sensibles a nuestra actitud y al mínimo cambio.

He descubierto cómo los maestros mejoran su comunicación después de trabajar arduamente con su autoestima y seguridad personal.

Finalmente acompaño a este paso la siguiente reflexión:

¿Qué me pide el adolescente?

1. Ayúdame a comprenderme y a organizar mi pensamiento. Dame orden, tolerancia y límites claros.
2. Respeta mi espacio personal. No me invadas excesivamente. A veces puedo parecerte demasiado misterioso. Respeta la distancia que necesito, sin dejarme solo.
3. Lo que hago no es contra ti. Cuando no hago lo que me pides, no estoy tratando de hacerte daño. No me atribuyas malas intenciones.

4. Haz un esfuerzo por comprender mi actitud, aún cuando ésta te parezca disparatada. Es una forma de enfrentar el mundo desde mi muy especial forma de percibirlo.

5. Soy, además de un adolescente, una persona. Comparto muchas cosas de los niños y algunas otras de los adultos. Si me observas, es más lo que compartimos, que lo que nos separa.

6. Hazme sentir que vale la pena convivir conmigo. Esto puede darnos tantas satisfacciones. En la etapa en que me encuentro, suelo no aguantarme yo mismo.

7. Ni tú ni yo tenemos la culpa de nuestros problemas de comunicación. No sirve de nada que nos culpemos. Evitemos el sufrimiento y busquemos la cercanía.

8. Antes de exigirme, observa que lo que me pides no esté por encima de mi capacidad. Ayúdame para ser autónomo, pero no me ayudes de más.

9. Acéptame tal y como soy. No condiciones tu amor. La situación va a mejorar. ¡No lo dudes!

10. Me resulta difícil comprender la razón de muchas cosas que me pides. Ayúdame a entenderte.

11. No me pidas siempre las cosas de la misma forma. Busca alternativas. Aunque no lo parezca, yo también busco comprenderte.

12. Ayúdame sin que esto se convierta en una obsesión. Pero recuerda que para poder ayudarme, tienes que estar bien contigo mismo. Esto puede ser todo un reto.

Aprende conmigo a vivir mejor.
En el camino podemos encontrarnos
y compartir la experiencia.

CONOCER SU ESTILO DE APRENDIZAJE

Enseñar no es transmitir ideas sino favorecer que el otro las descubra.
ORTEGA Y GASSET

El estilo de aprendizaje es la forma, por naturaleza, en la que las personas procesamos y entendemos una información. En un salón de clase en el que el maestro desconoce este aspecto tan relevante, se ha demostrado que aproximadamente 80% de los alumnos no aprende. Esto es un escalofriante resultado de la enseñanza tradicional.

Cuando hablamos de la labor docente, deberíamos hablar obligatoriamente de los siguientes aspectos:

1. Contexto: La serie de circunstancias que rodean a la persona que aprende. Cómo es su entorno, cuáles son sus necesidades satisfechas y cuáles no. Qué la motiva o inquieta en este momento, etcétera.

   Conocer dichos aspectos permite establecer el giro de investigaciones, experimentos, el lugar más adecuado para aprender (si es dentro del salón, con salidas, con computadoras, videos, libros, luz, música, el tipo de temperatura que facilita el aprendizaje o que genera estrés, la decoración, ruido, sillas, tolerancia, las reglas claras, normas, trabajo en equipo, si es mejor que esté solo, en pareja, etcétera). Y algo que olvidamos con frecuencia: "el valor del contenido es tan importante como la credibilidad y respeto de quien lo transmite".

Una nueva forma de vivir el aprendizaje es viendo qué hay alrededor nuestro para aprender, y cuál es la mejor forma de hacerlo. Los adolescentes aprenderán mejor si se crean ambientes en los que existan la excitación de los sentidos, enriquecimiento personal, ambiente agradable y ausencia de lucha de poder.

2. Respuesta: Hay jóvenes que pueden responder a un estímulo dependiendo de una serie de factores internos o externos. Hay quienes responden con base en lo que piensan, en sus expectativas, en las reglas sociales, en las normas familiares o en sus reglas personales.

La diferencia estriba en el tipo de enseñanza, el lugar, el alumno, su estilo dominante de aprendizaje, la variedad, las posibilidades de escoger. Los padres y maestros debemos poner atención a las respuestas de los alumnos cuando se involucra el aprendizaje y se planea la enseñanza con base en las preferencias. El objeto es lograr un contacto estrecho con el mayor número de alumnos, en el caso del maestro, y con el mayor número de oportunidades, en el caso de los padres de familia.

Existen tres áreas de aprendizaje según los expertos:

- La cognoscitiva: lo que sabemos, lo que somos capaces de recordar, comprender y entender, lo que nos permite traducirlo en palabras y aplicarlo, y hasta evaluarlo.
- La psicomotora: lo que hacemos, capacidades y habilidades físicas, coordinación. Creación.
- La afectiva: lo que sentimos, el área de los valores, sentimientos, actitudes, capacidad de expresarnos con libertad.

A continuación se escogieron 28 elementos que deben estar presentes en la formación y acompañamiento de los jóvenes (elige cinco que, según tu estilo personal, sean indispensables).

1. Estimulación de sentidos. Nuestra comunicación o transmisión de mensajes debe enriquecerse de forma motivante y estimulante del mayor número de sentidos posible. Utiliza olores, sabores, sonidos, carteles, objetos, texturas y música. Estimulemos el cerebro y generemos el ambiente propicio.
2. Aplica técnicas para detectar diferentes tipos o canales de aprendizaje. El uso de múltiples ideas permite lograr el éxito.
3. Sensibiliza la inteligencia motivando a los jóvenes. Esto les permite sentir sus logros y su capacidad.

4. Usa un diario o bitácora. Hace posible observar el proceso de los jóvenes significativamente, así como el logro de metas personales.

5. Personalización del aprendizaje. Es importante detectar el nivel de entendimiento de las instrucciones antes de exigir los resultados, ello evitará la frustración al no poder lograrlo.

6. Procura el contacto visual y físico con los adolescentes, verificando si la información es recibida en forma asertiva.

7. Mantén las cosas en movimiento. Que preparen proyectos individuales, distintos, funcionales. Fomenta que se integren lo más posible.

8. Busca lo inesperado. Permite que el alumno se sorprenda, que te atienda aún sin quererlo, y ve lo que ocurre. ¿Qué es lo peor que podría pasar si nos atrevemos a ser diferentes?

9. Crea "poder" compartiéndolo. Si compartimos el poder, éste crece. Si lo acaparas como autoridad absoluta, tiende a morir.

10. Haz dinámica tu clase. Olvídate de apegarte rígidamente a un modelo. Pon en marcha los cambios.

11. Rompe las grandes estructuras. Atrévete a implementar estrategias creadas por ti mismo. Incluso con la práctica irás innovando en el momento.

12. Por favor fomenta la iniciativa. La próxima vez que un joven se queje de algo relacionado con tu clase, hazlo responsable de un equipo de trabajo para mejorarla. Cualquiera de esos jóvenes puede ser un motor interno de cambio.

13. Permanece entusiasmado con tu trabajo. El entusiasmo es contagioso. Los seres humanos exitosos se apasionan con todo lo que hacen.

14. Haz planes para aprovechar las fortalezas del grupo. Desarrolla ciertos niveles sanos de competencia.

15. Pregunta. Las respuestas del grupo podrán ayudarte a crear y asignar prioridades en tu agenda de aprendizaje. A medida que se aprende algo, es inevitable que surjan nuevas cuestiones. Capta los temas que surjan de modo que se convierta en parte de un patrón de aprendizaje continuo.

16. Incluye a todos, es la clave del éxito. En un salón de clase o en una familia todos somos alumnos.

17. Facilita, no obstruyas. En una asesoría inteligente, ayudamos a los demás a aprender. Ten cuidado de separar lo que puede enseñar de lo que cada alumno debe aprender en forma particular.

18. Nunca te detengas. Ser un buen maestro significa necesariamente ser un buen alumno. Piensa en los mejores maestros que hayas tenido. Incorpora su entusiasmo e ideas novedosas a todo lo que haces. Todo buen maestro es un alumno entusiasta, capaz de compartir con alegría el descubrimiento de los demás.

19. Reflexiona. Cada vez que asesores o trabajes con un grupo, detente y reflexiona qué es lo que hiciste. Trata de hacerlo mejor la próxima vez.

20. No construyas barreras. Olvídate de la necesidad de saber. Si obstruyes nuevas ideas y descubrimientos, recuerda que el conocimiento no tiene jerarquía, ni límite.

21. Asigna responsabilidades. Haz referencia de qué le corresponde a cada uno. Incorpora un ambiente de expectativa.

22. Integra las funciones y resultados del aprendizaje en las estructuras de evaluación y recompensa.

23. Mantente actualizado. Suscríbete a servicios de bases de datos, recolecta información de libros, periódicos, servicios de biblioteca, Internet.

24. Incluye el mundo exterior. Explora lo que puedes dar y lo que puedes obtener.
25. Cerciórate de que el aprendizaje se capta.
26. Alienta la investigación sobre los problemas, retos y oportunidades reales que enfrenten los jóvenes. Investigación aplicada y de acción.
27. Siéntete orgulloso de tu labor.
28. Celebra. El aprendizaje es un viaje largo, pero un viaje sin señales puede ser no sólo tensionante, sino largo y tedioso. Festeja, el aprendizaje puede ser divertido.

Anota los cinco elementos, aplicables según tu forma personal de relacionarte:

1. _____
2. _____
3. _____
4. _____
5. _____

Para obtener mejores resultados de aprendizaje en el adolescente, toma en cuenta:

1. Que el joven requiere saber lo que esperas de él.
2. Procura despertarle el sentido de identidad y pertenencia al grupo.
3. Involúcralo en el establecimiento de metas en un ambiente libre, sin olvidar que sólo se logrará satisfacer las necesidades de los jóvenes cuando se sienten escuchados.
4. Delega responsabilidades que sean un reto para el desarrollo de sus habilidades.

Una nueva forma de vivir el aprendizaje es viendo qué hay alrededor nuestro para aprender y cuál es la mejor forma de hacerlo. Los adolescentes aprenderán mejor si se crean ambientes en los que haya excitación de los sentidos, enriquecimiento personal, ambiente agradable y ausencia de lucha de poder.

El medio ambiente por sí sólo puede enseñar. Con todas las horas que el estudiante permanece en un salón de clase, los efectos del medio tienen un importante impacto, a tal grado que puede crear o favorecer la creatividad, desarrollo de autoestima, confianza y aprecio. Un lugar donde se desarrollen actividades interesantes, divertidas, personalizadas, relevantes, que eviten la rutina, despierten la curiosidad, que sean diferentes, que cambien el concepto de las lecciones formales, en donde cada persona se sienta respetada y tratada adecuadamente, que logre la interacción necesaria y que cada integrante tenga la sensación de logro personal. Sería vital olvidar la intención añeja de ganar o perder, lo importante es el deseo de obtener respuestas.

Recordemos que el proceso de aprendizaje es ampliamente dependiente de emociones y motivaciones específicas. Es una especie de círculo motivacional… Tensión positiva generada por la emoción del logro… curiosidad… reto… obtención de un conocimiento específico… convencimiento… sentido de pertenencia… frecuencia y asimilación permanente y constante.

Con esto demostramos que el aprendizaje no sólo es mental, también es emotivo.

Pero ¿qué desean aprender los jóvenes? En principio podríamos afirmar que todo aquello que implica el mejor hacer. Como adultos encargados de la educación y formación de los jóvenes, les pediría que por un momento se pregunten ¿qué es lo que hasta ahora han aprendido mejor? ¿Cómo aprendieron a ser tan buenos en eso? Sófocles dijo: "Se debe aprender haciendo las cosas". ¿Qué tal si nuestra labor es ayudar a que los otros hagan bien las cosas? Las personas aprendemos al hacer las cosas, y al recibir retroalimentación, aprendemos de lo que hacemos bien, pero también de lo que hacemos mal. Aprendemos a administrar el tiempo, a planear, a no estresarnos o controlar el estrés, a cultivar nuestro bienestar trabajando.

Dentro de mi experiencia como docente, recuerdo el proceso de trabajo con adolescentes renuentes a seguir reglas.

En una de las escuelas donde trabajé, el principal problema era la asistencia y puntualidad de los alumnos.

Después de un complejo análisis de su proceso de aprendizaje y de ubicar al grupo en su nivel, formé equipos de alumnos para estructurar su propio proyecto de aprendizaje significativo. Seguíamos el programa oficial en todo momento, pero la forma y las dinámicas eran elegidas por el equipo dirigente.

Los resultados dejaron sorprendida a toda la escuela. Los propios alumnos llegaron a preparar su clase, coordinar actividades y manejar los tiempos adecuadamente, a tal grado que nos permitió cubrir incluso temas adicionales a los señalados por el programa. Y no sólo mejoró el nivel académico, el problema de inasistencia terminó. Los alumnos fueron puntuales y cumplían con las actividades que el equipo dirigente en turno había preparado.

Lo anterior demuestra la importancia de involucrar al adolescente en el proceso. Algunos adultos tenemos miedo de compartir esta responsabilidad, perdiéndonos la oportunidad de descubrir el talento de los muchachos.

Algunas sugerencias en el trabajo con los jóvenes son las siguientes:

PADRES: buscar que sus hijos manifiesten las cosas que le agradan de sus maestros y de su escuela. Si escuchas a tu hijo expresarse mal de un maestro, invítalo a ponerse en su lugar. Sugiérele que ofrezca alternativas, de forma respetuosa. Involúcrate con el proceso de aprendizaje de tu hijo.

MAESTRO: considera tu clase como la más importante, y trabaja como si lo fuera. Prepárate cada día con entusiasmo y observa a tus alumnos como lo haría un vendedor con sus clientes más difíciles.

A continuación menciono una serie de recursos que bien aplicados pueden facilitar el proceso de trabajo con los grupos:

○ Lectura de todo tipo de libros, periódicos y revistas
○ Ampliación de vocabulario del estudiante
○ Escritura creativa
○ Poesía
○ Debates
○ Chistes
○ Anécdotas
○ Metáforas o cuentos
○ Imaginación activa
○ Colores
○ Dibujos
○ Mapas mentales
○ Imaginación
○ Juegos
○ Carteles
○ Símbolos
○ Fórmulas

○ Problemas
○ Juegos mentales
○ Danza
○ Teatro
○ Expresión corporal
○ Deporte
○ Ejercicios antiestrés
○ Ritmo
○ Relajación
○ Sonidos sincronía
○ Sonidos ambientales
○ Cantos
○ Meditación
○ Autoconciencia
○ Procesos emocionales
○ Prácticas mentales
○ Autorreflexión
○ Memoria
○ Armonización
○ Retroalimentación
○ Intuición
○ Comunicación personal
○ Empatía
○ Proyectos de grupo
○ División de trabajo
○ Motivación grupal
○ Colección de datos
○ Interés por objetos
○ Clasificación
○ Especies
○ Organización de colecciones
○ Experimentos

○ Colecciones
○ Clasificación de información
○ Mapas conceptuales
○ Pensamiento en cadena
○ Dibujo y caricatura
○ Repetición
○ Revisión
○ Repaso
○ Asociación de imágenes
○ Registro de hechos
○ Contexto
○ Ejemplos
○ Palabras individuales
○ Sugestión positiva

Selecciona cinco recursos que desees implementar en tu clase. Te recomiendo llevar un diario de tu proceso personal con el grupo al implementar tus cambios.

La diferencia estriba en el tipo de enseñanza,
el lugar, el alumno, su estilo dominante de aprendizaje,
la variedad, las posibilidades de escoger.
Los padres y maestros debemos poner atención a las
respuestas de los alumnos cuando se involucra el aprendizaje
y se planea la enseñanza con base en las preferencias.
El objetivo es lograr un contacto estrecho con el mayor
número de alumnos, en el caso del maestro, y con el mayor
número de oportunidades, en el caso de los padres de familia.

LA CONFIANZA

Ten fe en tus alumnos y ellos tendrán fe en ti.
La educación tiene su ritmo. Aprende a interpretarlo.
TAO

El poder de la confianza radica en la respuesta. Existe el llamado "concepto de la profecía de la realización personal", el cual consiste en la idea de que lo que esperamos de una persona llega a tener una poderosa influencia en su conducta. Esto tiene su origen en la gloriosa mitología griega. Pigmaleón, príncipe de la mitología que tuvo demasiado éxito, se enamoró de su obra como si se tratara de una verdadera mujer, y por su amor se volvió real.

Si analizamos el efecto Pigmaleón en las escuelas y en los hogares, la percepción de padres y maestros es fundamental. No sabemos cómo ni por qué, pero la profecía siempre se cumple.

Nuestras expectativas estimulan o frenan los resultados. Por ello, es fundamental reconocer cómo podemos influenciar a nuestros adolescentes con nuestras expectativas. Por qué no nos observamos, y respondemos honestamente:

¿Qué estoy esperando de los jóvenes a los que pretendo formar?

¿Qué expectativas han etiquetado a estos jóvenes con los que convivo?

_____

_____

_____

¿Cómo puedo romper estas ataduras? Es decir, quitar etiquetas que me impidan confiar en los jóvenes.

_____

_____

_____

Angie, una alumna de primero de secundaria, me mostró cómo la confianza hace el milagro.

No suelo escuchar las referencias de otros maestros, o incluso de sus padres, en relación con los jóvenes con quienes trabajo. Busco formar mi propio criterio, evitando dejarme influenciar por las etiquetas puestas al adolescente, sobre todo cuando éstas son negativas.

Fue a mitad del curso de primero de secundaria cuando la coordinadora de la escuela nos mandó llamar. Estaba sorprendida de las altas calificaciones de Angie en mi materia, con un récord impecable de asistencia y entrega de trabajos. El problema era que en el resto de las materias, Angie no entraba a clase en algunas, y en otras siempre daba problemas a los maestros. Incluso se negaba a trabajar. Cuando le preguntaron a la jovencita la razón de la diferencia en actitud, discretamente y un poco apenada, contestó: "Blanca piensa que soy inteligente y brillante, y yo no quería decepcionarla, por eso me esmeraba en mis trabajos y jamás faltaba ni llegaba tarde a la clase. Hubiera querido que ella no se enterara que no soy tan excelente alumna".

A solas, los maestros y el personal de la dirección charlamos largamente sobre el secreto, el cual consistía en tener fe en los jóvenes, lo que reiteradamente me ha dado excelentes resultados.

¿Cómo actúas tú cuando alguien tiene fe en tu talento, bondad, capacidad, etcétera?

Confiar es creer en lo que no se ve. Creer en lo que se ve es demostración, no confianza. Confiar es saber esperar que lo que no se ve, también puede existir, y a partir de ahí es cuando podremos descubrirlo, porque si estamos convencidos de que no hay nada más, así será. En cambio, si creemos que todo es posible y que todo puede existir, estaremos abriendo las puertas a la evolución de nuestros jóvenes, ya que si confiamos en que existe aquello que no conocemos ni vemos, podremos llegar a conocerlo y verlo, pues al creer que puede existir, estamos abriendo una puerta hacia el mundo que no conocemos. En cambio, si damos por sentado que no existe, no podremos llegar a conocerlo porque estaremos cerrando la puerta a su existencia. Algo que no existe jamás podrá llegar a ser conocido, pero al creer en ello, podremos llegar a conocerlo y a experimentarlo.

Si tú crees que tu hijo puede ser ordenado, responsable, triunfador, y en realidad confías en su proceso, eso obtendrás precisamente. El problema es que si crees lo contrario, eso obtendrás.

Raquel es una adolescente de dieciséis años que desde los doce tiene vida sexual activa, lo más destacable es que proviene de una familia estricta que no le permite tener novio, ni amigos. Sólo puede salir con sus amigas y jamás regresa después de las ocho de la noche.

Raquel no tenía miedo al embarazo, secretamente lo veía como una oportunidad para escapar de casa. Su madre no le tenía confianza y evitaba a toda costa que su hija se pusiera en supuesto riesgo.

Raquel nos enseña cómo la apertura, comunicación y confianza hubieran sido indispensables en su formación.

Es imprescindible ganarse la confianza de los hijos. Esto les ayudará a enfrentar los años difíciles cuando tengan que luchar contra las presiones de quienes los rodean, cuando vayan formando su personalidad y determinando su identidad. No los acosen, simplemente háganles saber que usted está ahí para ellos, siempre listo para escucharlos.

Nuestras expectativas estimulan o frenan los resultados.
Por ello, es fundamental reconocer cómo podemos
influenciar a los adolescentes con nuestras expectativas.

Cuando tenemos fe en nosotros y en nuestros hijos… Cuando tenemos fe en que todo se rige por Amor, estamos abriendo la puerta a la experiencia. Cuando nos demos cuenta de esto, estaremos preparados para llegar a conocer de lo que son capaces nuestros hijos o alumnos, y lo que es mejor, a experimentarlo. Confiar es tener fe.

Confiar en los demás es tener fe en todos los seres. La confianza está por encima del mal. Siempre que haya confianza y fe, nadie podrá sufrir daños porque cuando se tiene confianza, se actúa con el corazón y uno hace lo mejor para sí mismo y para los demás. Actuar con el corazón es la forma de ayudar a los demás y a uno mismo a tener fe y confiar, pero sin dejarse engañar, ni lastimar, ni perjudicar. Porque esto no es fe, pues la falta de amor hacia uno mismo es alta de amor hacia los demás, y dejarse engañar, perjudicar o consentir a un hijo es falta de amor debido a que así no se le ayuda a él ni a nosotros mismos. El Amor es la poderosísima energía que sabe imponerse cuando es necesario, pero siempre con libertad. El Amor es protección y a la vez libertad. A la hora de educar a un hijo, consentirle todo es algo amorfo, sin Amor, porque el Amor es desear ayudar a los demás y a nuestro hijo. Si le consentimos todo no le ayudamos. Le ayudaríamos si intentáramos auxiliarlo a descubrir el Amor y la felicidad. No se necesita ser sabio para saber esto. Se necesita desarrollar mucho Amor para descubrirlo.

La mayoría de nosotros recuerda a un maestro, un sacerdote o un entrenador que nos dio su aliento. Alguien que observó nuestros esfuerzos y no sólo se tomó el tiempo para enseñar, sino también para inspirar en nuestro corazón y en nuestra mente un sentido de justicia, bondad y compasión. Alguien que confió en nosotros.

Cuando hay confianza, se actúa con el corazón
y uno hace lo mejor para sí mismo y para los demás.

Javier es uno de esos maestros. Uno de sus alumnos de secundaria, Julián, tenía serias dificultades para hacer las tareas de la escuela, y repetidamente se le había dicho que no sería un buen candidato para la universidad, que nunca llegaría a lograr nada. Su maestro lo animó a que desarrollara otros talentos y, después de graduarse, Julián llegó a ser un exitoso dibujante. Aún recuerda a su maestro, quien le dio la motivación y la confianza para convertirse en una persona que tomó su trabajo y su vida con dignidad.

Consejos para los padres y maestros de hoy

1. Prepara a tus hijos y alumnos para un mundo de gran variedad, enseñándoles respeto y tolerancia.
2. Deles la oportunidad de tomar decisiones responsables para que vayan adquiriendo respeto por sí mismos.
3. Aliéntalos y elógialos, pero no tengas miedo de disciplinarlos o de limitar su libertad de acción.
4. Haz saber a tus hijos o alumnos que siempre estás dispuesto a atender a sus preguntas y problemas.
5. Provee educación y guía.
6. Ofrece amor incondicional, pero sin ser demasiado indulgente.
7. Nunca abuses de tus hijos o alumnos, física o emocionalmente, ni permitas que otros lo hagan.
8. Enséñales a confiar en sí mismos, como tú confías en ellos.
9. Sé ejemplo vivo, los jóvenes aprenden observando. Los adultos que no hacen lo que predican, sólo confunden.
10. Habla y escucha sin juzgar o sobreproteger. Los problemas son parte de la vida.
11. Sé flexible. Las reglas rigurosas asfixian a nuestros adolescentes y terminan por alejarlos.

12. Recuerda que jamás terminamos de aprender. Sé tolerante, paciente y amoroso al aplicar una consecuencia. Con-
serva en todo momento el vínculo de confianza con el
joven. No te traiciones a ti mismo ni a tus valores, pero
tampoco traiciones la confianza de tu adolescente.

Los hijos y los alumnos nos abren un nuevo mundo y nos
damos cuenta que no sólo enseñamos, sino que tenemos mucho que aprender de ellos también.

Recuerda que crear un clima de confianza, apoyo y seguridad es importante para que la persona se sienta cómoda y
con libertad de expresar sus ideas, sentimientos y problemas.

Prepara a tus hijos y alumnos para un mundo de gran variedad,
enseñándoles respeto y tolerancia. "Con el ejemplo".

APLICANDO
LA INTELIGENCIA EMOCIONAL

*Las personas con habilidades emocionales bien desarrolladas
tienen más probabilidades de sentirse satisfechas y ser eficaces
en su vida, y de dominar los hábitos mentales que favorezcan su
propia productividad. Las personas que no pueden poner cierto
orden en su vida emocional libran batallas interiores que sabotean
su capacidad de concentrarse en el trabajo y pensar con claridad.*
DR. DANIEL GOLEMAN

El término inteligencia emocional se empleó para describir
cualidades emocionales que tienen importancia para alcanzar el éxito. Pueden incluirse entre ellas:

- ✓ Expresión y comprensión de sentimientos
- ✓ Control de nuestro carácter
- ✓ Autonomía
- ✓ Capacidad de adaptación
- ✓ Capacidad para resolver problemas
- ✓ Liderazgo
- ✓ Creatividad
- ✓ Amabilidad
- ✓ Respeto

Es el momento de buscar nuevas formas de enseñar a nuestros hijos o alumnos a adquirir capacidades emocionales y
sociales.

Es nuestra obligación cuestionarnos algunos instintos paternos naturales. Los padres necesitamos contar con formas bien pensadas, previsibles y apropiadas, según la edad, de responder a la conducta de nuestros hijos o alumnos.

La disciplina efectiva debe ser sencilla de aplicar, pues de lo contrario, la familia desiste fácilmente.

A continuación te señalo algunos principios con éxito comprobado en el manejo de límites con los adolescentes:

1. Establezcan, en común acuerdo de los padres, las reglas y límites claros. Es muy importante que ambos padres se den tiempo para hacerlo, pues descubro constantemente que de manera no intencional, terminan saboteándose el uno al otro, situación que los adolescentes suelen aprovechar derrumbando las reglas repetidas veces. Recuerda escribirlas y fijarlas sobre un lugar visible para la familia con la finalidad de cerciorarte de que sean recordadas por tu hijo. Asimismo, verifica su convencimiento de las ventajas de seguirlas. Y por favor: "No establezcas reglas comunes a todos tus hijos". Recuerda que cada uno es especial; pon atención a los hábitos que deseas reforzar en lo personal, es decir, haz tu trabajo en serio, no en serie.

2. Dale señales a tu hijo cuando comienza a comportarse inadecuadamente. Esto debe ser antes de que esté a punto de perder privilegios. Es la mejor manera de desarrollar en el adolescente la responsabilidad personal y el autocontrol.

3. Define claramente el comportamiento positivo reforzando. Es decir, la buena conducta esperada. Cada vez que ésta se manifieste, hazla notar con elogios y afecto, e ignora la conducta que sólo apunta a llamar la atención al desafío. Por ejemplo, realza los aciertos y enfatiza los

logros personales, así como sus beneficios. Prevé los problemas antes de que se produzcan. Da a conocer las consecuencias positivas (salidas, permisos, ventajas no materiales, etcétera) y las negativas (pérdida de privilegios), las cuales deberán estar establecidas con antelación en la misma hoja en la que se señalaron las reglas.

¿Cuántas veces reaccionas de esta forma?
¿Qué mensaje estás enviando a tu adolescente?

4. Cuando se viola una norma o un límite claramente establecido, sé coherente y haz exactamente lo que dijiste que harías. No dudes en hacerlo. Es sorprendente el número de casos en que los propios padres sabotean el cumplimiento de sus reglas.

Es el caso de un adolescente llamado Ricardo, quien estudiaba en el sistema abierto, "aparentemente". Su madre mencionaba lo angustiada que se sentía, pues dentro de unas semanas se suponía que Ricardo debería recoger su certificado de secundaria.

Ricardo era hijo único y pasaba largas horas y días sentado frente al televisor. Su madre, para motivarlo a terminar la secundaria, le ofreció que al concluirla le obsequiaría un televisor gigante, el cual podría tener en su cuarto.

Durante el desarrollo de la primera sesión me dio la impresión de que el joven manipulaba a la madre y ella lo permitía gustosa. Se autoengañaba, y la calidad del premio referido me lo confirmaba. Hablé con la madre y le solicité que a la siguiente sesión me hiciera llegar un informe de las condiciones del certificado de secundaria de Ricardo. Curiosamente, se presentó Ricardo sin su mamá, argumentando que había tenido un retraso, y orgulloso me comentó que aún no le habían dado sus papeles pero que su madre, confiando en él, le anticipó el regalo, el cual disfrutaba en su habitación desde el fin de semana. Noté su incomodidad cuando pregunté por sus papeles, y me tomé la libertad, frente al adolescente, de indagar vía telefónica la condición de los mismos. No fue una sorpresa la respuesta de la secretaria de la escuela que lo asesoraba. Hacía dos años que Ricardo se había inscrito pero jamás volvió. Por lo menos no a clases, ya que de vez en cuando iba a visitar sus amigos. Al darle la noticia a la madre, ésta no dejaba de llorar por la decepción. No sé quién necesitaba más el taller, si el adolescente que había actuado irresponsablemente, o la madre, que inconscientemente lo solapaba.

5. Cuando una consecuencia es necesaria, asegúrate de que guarde relación con la infracción a la regla o la mala conducta. Si se convino que de no hacer su tarea se suspenderían permisos y salidas, será esto y no otra situación la que se aplique. He trabajado con padres de familia que debido al malestar, aplican la consecuencia convenida, y dos o tres más de acuerdo con la intensidad de su enojo. Esto sólo trae como consecuencia que el adolescente

no confíe en su palabra y pierda interés en cumplir las reglas.

El caso de Mario, un adolescente que se ostentaba de no querer hacer nada, es muy significativo. La situación era crítica. Mario pasaba horas en su habitación, se rehusaba a hacer tareas y a estudiar. Cuando se le proponía trabajar, argumentaba que esto tampoco le llamaba la atención. Sus padres, durante una sesión junto con Mario, convinieron en reglas y consecuencias claras. Pero a los pocos días en que Mario violó la regla, los padres no sólo no aplicaron la consecuencia convenida, sino conforme al grado de enojo, agregaron más consecuencias, como retirar su estéreo y televisión, situación que no se había pactado. Esto provocó la apatía aún más radical de Mario. Hubo necesidad de convenir y aclarar las consecuencias en su justa dimensión. Mario sintió más confianza y comenzó a cumplir para obtener mejores resultados con su familia.

Revisen por periodos cortos (semanales), **con verificación diaria**, los avances o retrocesos. De nada sirve, después de una semana, narrar las razones de la pérdida de derechos o privilegios a un adolescente, probablemente ya hasta lo haya olvidado.

La aplicación de los principios referidos genera resultados sorprendentes.

Pero continuemos con la búsqueda de aplicar los sabios principios de la inteligencia emocional en los jóvenes.

Parte importante en la formación del adolescente es su entorno familiar, el ambiente en el que el adolescente se desarrolla y el cual marca intensamente su carácter. Algunos expertos clasifican a la forma de ejercer nuestra paternidad en estilos generales. Esto nos puede ayudar a identificar con más precisión nuestras conductas erróneas.

Estilos generales de ser padres

Padres autoritarios: Establecen normas estrictas que esperan sean obedecidas al pie de la letra. Desde luego, no pierden tiempo en consultar la opinión de sus hijos. Los jóvenes deben mantenerse en su lugar, y no los dejan expresar sus opiniones. Son padres que dirigen la familia partiendo de la tradición, poniendo énfasis en la estructura, el control y el orden; todo ello se vuelve una gran carga para el adolescente.

Cristina, una adolescente de 14 años, narraba cómo su padre la golpeaba por haberle encontrado entre sus libros la fotografía de un joven, lo cual le parecía aberrante y ofensivo, además de que le despertaba sus celos obsesivos y la necesidad de control sobre su familia.

El panorama era deprimente. Su padre gritaba a la sumisa esposa por no saber guiar "decentemente a su hija" por lo que él llamaba "el buen camino". Cuando Cristina llegó al taller, se mostraba hostil, indiferente y retraída.

Desde luego, le costaba confiar en las personas, y empezaba a dudar de que a sus catorce años fuera un terrible error querer tener novio. Ella no pretendía molestar y alterar el orden familiar. Como hermana mayor de cuatro hermanos, había escuchado la letanía de ser el mejor ejemplo.

Debo agregar que sus calificaciones en la secundaria eran excelentes, cooperaba en casa y cuidaba durante las tardes a sus hermanos menores. Su error fue haber dejado entre sus libros la foto del chico que tanto le gustaba, y cuando su padre, como de costumbre, revisó sus cosas personales, estalló la bomba.

Padres así generan un ambiente de terror en la familia, ambiente que está lejos de ser formativo. Contrario a lo que se piensa, Cristina mostraba deseos de irse de casa lo más pronto posible.

Los padres se negaron a conciliar con Cristina sobre la posibilidad de tener novio, o por lo menos establecer una edad próxima. Sólo pude observar cómo su padre jaloneó a Cristina y se la llevó a encerrarla a su auto, para después educadamente decirme que él esperaba que en el taller se le enseñara a ser ciegamente obediente.

Nunca más supe de Cristina, pero por desgracia conozco situaciones similares en las que consideran no tener dificultad alguna que amerite buscar ayuda profesional. Como resultado, existen jóvenes que viven con sumisión aparente, o buscando desahogo en las drogas o el sexo.

Padres permisivos: Buscan la aceptación y transmiten el mayor aliento posible. No suelen fijar límites, no imponen exigencias fuertes ni metas claras a sus hijos para que se desarrollen de acuerdo con su naturaleza.

Parecieran más hermanos o amigos que padres. Incluso en ocasiones llegan a discutir por el control de la situación. Se percibe una ausencia de autoridad y esto provoca serias confusiones en los adolescentes.

Si llegan a poner límites ellos mismos los trasgreden sin darles importancia, siempre buscando congraciarse con sus hijos.

Resultados: ausencia total de consecuencia, caos y descontrol.

Leticia, una adolescente de 15 años, es el claro ejemplo de la situación. Su madre me llamó porque le había prohibido ir a una fiesta de la escuela como consecuencia de sus pésimas calificaciones (siete de nueve materias reprobadas en un bimestre).

Como era costumbre, la esperaba a la salida de la escuela, pero Leticia salió por la puerta trasera del colegio y se fue a la fiesta sin permiso. Cuando la madre angustiada llamó a mi celular eran más de las 11 de la noche, y no sabían qué hacer ni ella ni su esposo. Después de localizarla en casa de una amiga, la adolescente molesta les exigió que la dejaran en paz, que ya llegaría a su casa. La madre, en voz baja, buscando no ser escuchada por su esposo, agregaba que le había robado de su caja de ahorros dos mil pesos.

Hablé con Leticia al día siguiente y acordamos varios cambios que al notificarlos a sus padres, de forma increíble, ellos y no la chica solicitaron la disminución.

Acordamos que en virtud del atrevimiento de haber salido sin permiso y sin respetar sus consecuencias, se suspendía todo permiso hasta ver mejoría en calificaciones. Leticia me comentó que ya estaba cansada de faltar a clases y engañar a sus padres. Además, debería pagar con sus mesadas la cantidad robada a su madre. Leticia aceptó la consecuencia, fueron sus padres quienes al escucharla, aclararon que confiaban en ella, que no era necesario que regresara el dinero. Leticia me volteó a ver, sonrió y se despidió amablemente. A la semana siguiente la madre llamó para decirme que no llegó a dormir. El resto se parece a muchas historias.

Lo que pretendo rescatar es la importancia de creer en nuestra capacidad para corregir a nuestros hijos, y que esto es una responsabilidad ante todo.

Padres alternativos: Equilibran los límites con el ambiente estimulante. Orientan sin controlar, dan explicaciones e implican a sus hijos en las decisiones. Se elogia la competencia y la independencia. Todo ello permite que los hijos crezcan con confianza en ellos mismos, independientes, sociales y con un elevado nivel de inteligencia emocional.

Luis Enrique es un joven cristiano increíble, muestra del trabajo conjunto de sus padres. Cuando comenzó el taller de jóvenes triunfadores eligió los temas que hacían resaltar su liderazgo natural. Tenía unos padres comprensivos y respetuosos, y una hermana sobresaliente, mas no competitiva; ambos hermanos se apoyaban. Poco antes de terminar el taller, el padre fue despedido de su trabajo. Grande fue mi satisfacción al ver que Luis Enrique me pedía que en sus últimas sesiones lo preparara para conseguir empleo, pues pensaba, al igual que su madre y hermana, trabajar para ayudar a su padre. Esto duro sólo unos meses. El padre consiguió un nuevo trabajo y Luis Enrique pudo seguir su ritmo normal de escuela, deporte y formador de grupos. Su padre no impidió que trabajara, aceptó su ayuda y la valoró. Eso le confirmó a Luis Enrique su confianza en sí mismo, y su importante papel en el trabajo en equipo de su familia.

Sinceramente, ¿cuál de los estilos referidos impera en casa? ¿Cuál de ellos impera en tu clase?

Podemos aprender muchísimo y ejercer influencia **sobre nuestras emociones**, así como aprendemos sobre otras materias.

Entrenarse en el desarrollo de las aptitudes emocionales **permite fomentar la capacidad de manejar las emociones idóneas para cada acción y regular su manifestación**, manteniendo el equilibrio emocional, transmitiendo estados de ánimo para generar actitudes y respuestas positivas, aprendiendo a evaluar el costo emocional de situaciones y acciones, desarrollando destrezas sociales, forjando y manejando relaciones con clientes, proveedores, colegas, familiares, etcétera, realizando un plan de aplicación en el terreno de nuestra esfera de influencia empresarial y laboral, extendiéndolo a la vida familiar y social.

De hecho, la estructura emocional básica **puede ser modificada mediante una toma de conciencia y cierta práctica:** la infancia y la adolescencia son dos momentos críticos, **pero en la madurez, la mayoría de las personas pueden educar con ventaja sus emociones.**

El aprendizaje es capaz de moldear, en definitiva, algunos **aspectos importantes de la realidad emocional individual y colectiva.**

La aptitud emocional puede mejorarse cambiando hábitos. Pero para ello **se requiere cierta práctica.** Los estudios clínicos realizados sobre cambios de conducta demuestran que, cuanto más tiempo pasa alguien esforzándose por cambiar, más durable será ese cambio.

Cuando la persona tiene un conocimiento eficaz sobre la Inteligencia Emocional, puede encauzar, dirigir y aplicar sus emociones, **permitiendo así que trabajen a favor y no en contra de su personalidad.**

De esta forma, las emociones pueden guiar todas las actitudes de nuestra vida hacia pensamientos y hábitos constructivos, **que mejoren en forma absoluta los resultados finales que queremos alcanzar.**

Es un precioso instrumento para solucionar desde una situación desagradable, hasta resolver en forma definitiva y tranquila las difíciles situaciones familiares que muchas personas viven como algo destructivo, cansado y frustrante, sin lograr resolverlo.

Las **habilidades prácticas** que surgen como consecuencia del adecuado manejo de tu Inteligencia Emocional podrían clasificarse como sigue:

a) La **autoconciencia** (capacidad de saber qué está pasando en nuestro cuerpo, mente y espíritu; es decir, saber cómo nos estamos sintiendo).

b) La **capacidad de expresar creativamente.** Esto representa cómo nos estamos sintiendo en relación con los otros.

c) El **control emocional** (regular la manifestación de una emoción, y modificar, si así es conveniente, la forma de expresarla, buscando en todo momento la asertividad).

d) La capacidad de **motivarse y motivar** a los demás.

e) La **empatía** (entender qué están sintiendo otras personas; ver cuestiones y situaciones desde su particular punto de vista).

f) Las **habilidades sociales de liderazgo** (habilidades que rodean la popularidad y la eficacia interpersonal; se pueden usar para persuadir y dirigir, negociar y resolver disputas, para la cooperación y el trabajo en equipo, etcétera)

La infancia y la adolescencia son dos momentos críticos,
pero en la madurez, la mayoría de las personas
pueden educar con ventaja sus emociones.

PADRES: existen cuatro maneras posibles de enseñar normas y valores en la familia: ejemplo, expectativas claras, motivación y seguimiento del proceso personal.

Ejemplo: cuántos padres exigen a sus hijos que no griten en casa, y ellos sólo se comunican gritando. Si tú fumas, no pretendas que tu hijo no lo haga.

Expectativas claras: es importante que el joven conozca lo que se espera de él, e igual de importante es que los padres conozcan lo que buscan alcanzar. Es decir, las expectativas deben ser acordes y compartidas.

Motivación: funciona mediante la creación de profecías autocumplidas. Si asignamos a los jóvenes el atributo de ser excepcionalmente pulcros o gentiles, se sienten inclinados a actuar de tal modo para hacerse merecedores de estos elogios.

MAESTRO: la actitud de un profesor al comunicar los conocimientos o manejar la disciplina influye -para bien o para mal- en el aprendizaje de sus alumnos.

Evita ignorar tus propios sentimientos, así serás más tolerante a los de tus alumnos.

Sé receptivo.

No impongas a los demás tus sentimientos.

No muestres actitudes defensivas ni prejuicios en relación con los demás.

Esta disponibilidad psicológica y afectiva de apertura, sensibilidad y de cambio, conduce al profesor a comprometerse completamente en la situación pedagógica, a entregar su totalidad a aquello que cree, dice, hace y es.

Su pedagogía pasa, entonces, a convertirse en una experiencia vivida, en una "aventura interior", ya que ésta se va a presentar como un proceso de transformación, cambio y evolución, donde se integran todos los aspectos educativos: actuar, reflexionar, relacionarse y crear.

En mi experiencia personal con cientos de jóvenes en los talleres, he descubierto cómo los adolescentes disfrutan la motivación, lo que yo llamo la "caricia diaria". Salgo a recibirlos con una sonrisa, los escucho atentamente y disfruto de sus logros realzándolos con entusiasmo, así como revisamos sus errores con equidad y justicia, sin juzgarlos, sino aprendiendo de ellos.

Seguimiento del proceso personal: Muchas madres angustiadas, al concluir el taller, me preguntan qué harán si olvidan lo aprendido. Es tan sencillo como reafirmar a los jóvenes sus logros y establecer metas diferentes, acordes con el momento que están viviendo. Posteriormente, y antes de lo que ellos imaginan, lo estarán haciendo por sí solos.

RELACIÓN DE AFECTIVIDAD Y ASERTIVIDAD

Las palabras amables no cuestan mucho...
sin embargo logran mucho.
BLAISE PASCAL

El arte supremo del maestro es despertar el gozo
por la expresión creativa y el conocimiento.
ALBERT EISTEIN

Ya hemos hablado en forma exclusiva del tema de la comunicación en capítulos anteriores. Ahora sólo nos resta recordar que si no hay una relación afectiva adecuada, no habrá comunicación asertiva.

Para comenzar, vamos a realizar un ejercicio muy interesante:

1. Realiza el siguiente dibujo, que consiste en tres círculos concéntricos, con un punto al centro, el cual te representa. Ahora coloca los nombres de las personas que sientes más cercanas a ti, en el primer círculo, y así sucesivamente.

   Reflexiona, al ver tu dibujo completo, cómo te sientes en tu relación con el resto de los miembros de la familia (si los percibes cercanos o lejanos). De esta forma expresarás gráficamente la distancia afectiva que existe entre los miembros del grupo y tú.

Es importante pensar al respecto, y comentarlo en familia. Es significativo el resultado, ya que tal vez desconocen qué tan distantes o cercanos se encuentran entre ustedes.

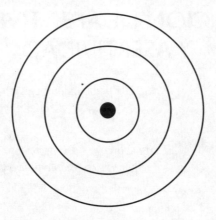

Realiza el ejercicio, y a continuación anota los resultados…

_____

_____

_____

_____

Existen dos formas de ser amigables:

a) La armonía que provocamos con nuestra forma de comunicarnos.
b) Comenzar a vivir lo que expresamos.

Establecer una relación afectiva con los jóvenes que trabajamos y convivimos es vital. No se trata sólo de sonreírles y de ver lo positivo. Se trata de observar, escuchar, sentir… lo cual es muy diferente a calificar y juzgar.

En toda persona hay cosas buenas y no tan agradables. Construir es parte de ver lo mejor de los demás sin destruir, pues todos necesitamos reconocimiento y aliento.

Adentrémonos ahora en el campo de la Asertividad:

Se define como aquella habilidad personal que nos permite expresar sentimientos, opiniones y pensamientos en el momento oportuno, de la forma adecuada y con la persona adecuada, sin negar ni desconsiderar los derechos de los demás. En la práctica, esto supone el desarrollo de la capacidad para:

- Expresar sentimientos y deseos positivos y negativos de una forma eficaz, sin negar o menospreciar los derechos de los demás, y sin crear o sentir vergüenza.
- Discriminar entre la aserción, la agresión y la pasividad.
- Diferenciar las ocasiones en que la expresión personal es importante y adecuada.
- Defenderse, sin agresión o pasividad, frente a la conducta poco cooperadora, apropiada o razonable de los demás.

Así pues, la aserción no implica ni pasividad, ni agresividad.

Sin embargo, me produce tanto entusiasmo el presente tema, que antes de abordarlo completamente deseo convencerlos de los beneficios que proporciona el ser asertivos.

Ventajas de vivir con asertividad

- Incrementa el autorrespeto y la satisfacción de hacer algo con la suficiente capacidad para aumentar la confianza y la seguridad en uno mismo.
- Mejora la aceptación y el respeto de los demás, en el sentido de que se hace un reconocimiento de la capacidad de uno mismo, de afirmar nuestros derechos personales.

Obstáculos para la asertividad personal

1. Tener objetivos contradictorios. Expresar que deseo algo intensamente, y al mismo tiempo, no creerme capaz de lograrlo. Es similar a la sensación de acelerar un vehículo y a la vez pisar el freno. No sólo no hay movimiento, sino que también se destruye el motor.

2. Estados emocionales que perturban la atención, la comprensión y el recuerdo de los mensajes. Cuando una persona se encuentra en extrema tensión mental y corporal, se impide a sí misma el flujo de ideas. El estrés genera serios problemas de comunicación. No escuchamos lo que el otro dice, ni decimos lo que realmente queremos comunicar.

3. Acusaciones, amenazas o exigencias. La culpa genera parálisis mental. No permito ver la solución del problema, atropello al otro con mis demandas personales, anulo su creatividad y pierdo su receptividad.

4. Sarcasmos. Lejos de ayudarnos, provocan serios problemas, pues no hay peor condena que la burla sin piedad, tras la máscara de la incredulidad. Recuerda que si no eres tolerante con los adolescentes, lejos estás de transmitir tu mensaje.

5. Órdenes enmascaradas "tendrías que..." Formas discretas de manipulación, poco efectivas en la comunicación. La frase "tendrías que…" despierta la respuesta inconsciente e inmediata del ¡NO QUIERO! ¿Quién no recuerda las ordenes clásicas… "Tendrías que ser más ordenado como tu hermano"…? ¿Identificas tu emoción de rechazo? A nadie le gusta que lo manipulen.

6. Inconsistencia, incoherencia o inestabilidad de los mensajes. ¿Cómo pretendes que tu hijo o alumno haga lo que

tú no haces? "¡No fumes!" Y el padre, la madre o el maestro lo hacen. "Respétame", y yo hablo de otros adultos con burla o crítica. La coherencia es altamente perceptible por los adolescentes, ellos aún no han perdido la sensibilidad de percibir nuestro lenguaje íntegro, palabras, imágenes, gestos y actitudes.

¿Cómo podemos pedir tranquilidad y armonía en la familia cuando nuestros gritos retumban los muros del hogar?

Laura, una madre joven que llevó a su hijo adolescente al taller para lograr que controlara o manejara sus emociones, mostraba ansiedad al expresarse. Miraba su reloj cada cinco minutos en la entrevista de inducción al curso, hablaba atropelladamente y transmitía tensión. Simplemente, no se disfrutaba su compañía. Ella insistía que su hijo Adrián no la escuchaba y parecía no tener interés en sus cosas, lo cual impedía su comunicación. Después de la entrevista, fue ella la seleccionada para tomar el taller de padres triunfadores. Y acertaste si te imaginas que el joven no necesitaba ningún curso. El problema de comunicación entre madre e hijo se había resuelto.

Anota, a continuación, tres mensajes que reconozcas como incoherentes hacia tus hijos. Si no encuentras alguno, puedes pedir ayuda a tú pareja e hijos, y seguro encontrarán más de uno…

_____

_____

_____

_____

7. Cortar la conversación… Impedir que tu familia, pareja o quien esté enfrente termine su mensaje. Acosarlo con preguntas y sentencias, que lo único que generan es la pérdida de interés por seguir comunicándonos.

8. Etiquetar. No hay nada más cruel que etiquetar a los miembros de nuestra familia. "Él es Juan el flojo, y María la buena es casi un ángel". "El estudioso y el desastre". La mayoría de los jóvenes que han asistido a mis talleres cargan con pesadas etiquetas de "los irresponsables e insoportables". En cuanto los jóvenes lo detectan y se convencen de que no es lo que ellos son, el panorama cambia. Algunas veces me es más difícil convencer a los padres de dejar a un lado las etiquetas, que a los adolescentes.

Salvador, un niño de cinco años, llegó al taller con un costal de etiquetas cargando sobre los hombros. El taller permitió que Salvador descubriera sus talentos. De hecho, su madre participó con tanto entusiasmo, que en menos de seis sesiones Salvador ya no era el más tachado de su clase. Meses después la madre trajo al taller a su hijo mayor de siete años llamado Arturo. Su madre comentó que era un ángel: siempre noble, cooperador y paciente, el contraste de su hermano Salvador, quien ahora se había convertido en un líder de su escuela y de su equipo de natación. No me sorprendió en absoluto descubrir que Arturo era el que más dificultades tenía para despegarse de las etiquetas que le generaban abusos y burlas en la escuela. Las etiquetas son estigmas difíciles de borrar.

¿Has etiquetado a los miembros de tu familia? Revisa detenidamente la situación y anota los nombres y las etiquetas que identificas. El flojo, el distraído, la coqueta, la buena, la mala, etcétera.

9. Generalizaciones del tipo "siempre" o "nunca". Demasiados padres, al borde de un ataque de nervios, se expresan en relación con un problema específico de forma generalizada: "siempre llega tarde", a lo que el hijo aprovecha para replicar: "siempre no, sólo dos o tres veces a la semana". Es una guerra sin ganador.

10. Consejo prematuro y no pedido. Los consejos no pedidos, jamás serán oídos. Esa frase tan antigua de nuestros abuelos me parece aplicable. Es todo un arte lograr que nuestros adolescentes nos pidan un consejo. Por cierto, procuren ser breves, para no perder el encanto.

11. Ignorar mensajes importantes. Emilia es una adolescente de la cual aprendí mucho. Su madre, una exitosa agente de ventas, se expresaba de ella con terror: "es agresiva, violenta y retadora". Desde la primera sesión percibí en Emilia una gran necesidad de ser aceptada y escuchada. Pasaba horas dormida, evadiendo la realidad de una madre que NO tenía tiempo para escuchar qué decía atrás de su mensaje "agresivo". Frases como "Tú no tienes derecho a meterte en mi vida", encerraban el dolor de una joven que se mantenía encerrada después de la secundaria, cuidando a sus hermanos hasta la medianoche o más, que consolaba a un padre que disimulaba su abandono con el alcohol. Era demasiado para una niña de trece años.

Facilitadores de la asertividad

1. Elección del lugar y el momento oportuno. Uno de los principales problemas de la comunicación con adolescentes es la tendencia a querer resolver los conflictos en el momento en que nos encontramos más alterados, y algunas veces, frente a personas que no tienen relación con el conflicto. Resultados: pérdida de la comunicación y distanciamiento.

2. Estados emocionales facilitadores. Si padres e hijos se encuentran molestos, es el momento de establecer un tiempo fuera. Debemos buscar el momento en el que nos encontrarnos tranquilos y menos cegados por la ira para expresar lo más adecuado, sin contaminación de pensamientos distorsionados.

3. Escuchar activamente. Ésta es mi parte favorita. Involucrarme en el proceso de comunicación con los adolescentes se ha convertido en el instrumento generador del éxito de los talleres. La fórmula es sencilla: comprender lo que expresan mutuamente, es lo que llamo "comunicarte con todos los sentidos". Cuando escucho a alguna persona, se convierte en el centro de mi atención: observo gestos, movimientos corporales, tono de voz, mensaje y emoción expresa y oculta. Además de ello, ratifico si el mensaje percibido es correcto o no.

4. Empatizar. Buscar alianzas, no distancia con el adolescente. Más adelante se tiene un capítulo dedicado a este punto.

5. Manifestar los deseos y los sentimientos. Evitar el terrible juego psicológico de que el otro adivine como me siento, lo cual además de consumir mucho tiempo, produce pocos resultados.

6. Información positiva. Al expresarnos, hagámoslo desde la perspectiva más positiva sobre el problema, con una seria disposición a la búsqueda de soluciones y alternativas.

7. Utilizar el mismo código. Hablar en el mismo idioma de los jóvenes significa mucho para ellos. Esto no quiere decir que utilices sus mismas palabras, pero sí que muestres aceptación por la forma de transmitir un mensaje, buscando el sentido del contenido.

8. Mencionar observaciones específicas. Es muy importante hacer un alto para expresar de qué me doy cuenta, y cómo esto puede cambiar el giro de la comunicación y el resultado de la misma. Muchas veces nos descubrimos discutiendo por razones inexistentes. Llegamos a un acuerdo, y no nos permitimos darnos cuenta.

9. Acomodar el contenido a las posibilidades o características del otro. Si lo que pedimos a nuestro adolescente se encuentra fuera de la realidad o de sus expectativas, sólo generaremos frustración. Si el joven tiene el récord de siete materias reprobadas en un mes, no podemos exigirle de pronto que su promedio general sea de nueve. Debemos ajustar nuestras expectativas a las posibilidades reales.

   Un número tan excesivo de materias reprobadas manifiesta serios problemas por resolver: sistema de aprendizaje y concentración, entre otros.

10. Expresar sentimientos. Cuando aprendí este sistema, me encantó y cambió mi forma de expresarme con los demás. Con el primero que lo apliqué fue con mi esposo, con quien estaba impuesta a expresar lo que sentía en forma de reclamo o mandato, y se sorprendió del cambio. Al decirle "siento tristeza cada vez que tú olvidas lo prometido", dejó de sentirse agredido.

11. Decir "NO", y no sentirse culpable por ello. Algunos padres no podemos evitar la culpa cuando decimos "NO", aun cuando esto resulte justificable. He trabajado con madres de familia que sufren de angustia cada vez que deben poner límites con sus hijos adolescentes, no importa qué tan claro sea que ellas tienen razón.

12. Mente abierta. Aceptar que no siempre tenemos razón, y dejar que el otro exprese abiertamente sus ideas sin que se sienta juzgado o vulnerable, permite experimentar excelentes resultados. Deja a un lado las expectativas y el control del resultado de la comunicación, y permanece alerta a las propuestas de cambio que fluyen en ambos sentidos.

Emplear la asertividad es saber pedir, saber dar sin esperar, esperar sin exigir, soltar sin apegarnos, saber negarse, negociar y ser flexible para poder conseguir los propios deseos, respetando los derechos del otro y expresando nuestros sentimientos de forma clara. La asertividad consiste también en hacer y recibir cumplidos, y en hacer y aceptar quejas.

Para poder conseguir cualquier cosa tenemos que saber cómo hacerlo. Para ello hay que prepararse. Hay que estructurar el mensaje que se va a decir y lo que se va a hacer en la negociación con el otro. Por ello, no olvides **tener muy claros los objetivos** que perseguimos en el encuentro, dado que éstos son nuestros motivos en la negociación. Cuando negociamos debemos tener la vista puesta en ellos. Hay algunas cosas que nos pueden distraer y hacernos fracasar.

- Recuerda que un buen negociador no es el que siempre gana, sino aquel que busca que ganen las dos partes. No existe el clásico sentimiento de vencedor y perdedor: ambos salen ganando, y lo mejor, ambos aprender a ceder.

- Si juzgamos las intenciones de la otra persona y nos basamos en ellas para plantear la relación con el otro, corremos el riesgo de contestar y reaccionar a las intenciones que pensamos que tiene el otro, y perdemos de vista nuestros objetivos. Así podemos llegar a ser agresivos o a ser pasivos.

- Querer que reconozcan equivocaciones y que se sometan completamente a nuestros deseos puede ser un objetivo emocional. Pero, ¿es realmente nuestra meta? Debemos tratar de entender qué cosas son las que pueden motivar al otro para hacer lo que más conviene, y no sólo lo que queremos, además de cuidar no dejarlo humillado o lastimado emocionalmente, lo cual nunca genera resultados favorables. Es un juego en el que todos pierden.

Preparación del diálogo: El diálogo que tengamos con el adolescente tiene que cumplir los siguientes requisitos para ser asertivo:

1. **Describir los hechos concretos.** Se trata de poner una base firme a la negociación, en la que no pueda haber discusión. En este punto es donde más tenemos que evitar hacer los juicios de intenciones.

2. **Manifestar nuestros sentimientos y pensamientos.** Comunicar de forma contundente y clara cómo nos hace sentir aquello que ha ocurrido y qué juicio moral o de pensamiento nos despierta. Es el momento de decir "estoy hasta las narices de esta situación y no la soporto más", o "me he sentido humillado y denigrado". Hay que recordar que no se trata de que el otro lo encuentre justificado o no. Le puede parecer desproporcionado, o injusto, pero es lo que nosotros sentimos, y tenemos derecho

a hacerlo así. No aceptaremos ninguna descalificación. Defenderemos nuestro derecho a sentirnos tal y como le decimos. Le estamos informando, no le pedimos que nos entienda o nos comprenda, por eso no puede descalificarnos ni aceptaremos críticas a nuestros sentimientos.

3. **Pedir de forma concreta lo que queremos que haga.** No se trata de hablar de forma general o genérica, "quiero que seas mejor hijo", "quiero que seas un triunfador", "quiero que no seas un desastre"... Hay que ser concretos: "quiero que bajes el volumen de la radio, "quiero que cuando hablo me mires a los ojos y contestes a lo que te pregunto", "quiero que estudies una hora al día, después de comer". Son conductas concretas que el otro puede entender y hacer. Esto nos obliga a analizar el problema buscando soluciones que se pueden describir en forma de actos precisos que tiene que realizar el otro, y que también, de ser posible, sean aceptables para la otra persona. Cuando el problema es más complejo, puede ser interesante emplear la siguiente técnica:

   a. **Identificar el problema.** Determinar las discrepancias entre la situación actual y los resultados esperados.

   b. **Determinar el proceso que causa las discrepancias.** Reunir y analizar la información de las acciones que se han realizado o que se realizan, y que explican la existencia del problema.

   c. **Definir las alternativas.** La propuesta de tres o más alternativas de acción permite al adolescente sentirse libre de decidir lo mejor para él.

   d. **Examinar las consecuencias, que deberán ser claras y conocidas previamente por las partes.** ¿Qué pasaría si...?, anticipar los probables efectos de cada alternativa. Es decir, aquello que va a ocurrir cuando haga lo que se le ha pedido. Se le podría plantear también las consecuencias que tendrá para él no hacerlo, pero es preferible especificar lo que va a obtener de forma positiva. De otra manera, lo que planteamos es un castigo y los castigos son mucho menos efectivos que los premios o refuerzos. Muchas veces se trata solamente de una forma de presentación. Hay que tener en cuenta que frecuentemente algo que puede ser planteado como un castigo, si no lo hace, se puede ver como algo positivo si lo hace. Por ejemplo: "Si no lo haces tendrás un castigo" se puede convertir en "Si lo haces evitarás que haga lo que no quiero hacer, que supone un castigo para ti, algo que, por supuesto, tengo que cuplir para ser consecuente con mis objetivos y los sentimientos que ya he expresado".

e. **Tomar la decisión de la mejor alternativa.** Evaluar y elegir la mejor alternativa, aquélla que maximice el logro de las metas y los objetivos.

Acción

A continuación te doy varias situaciones de ensayo. Revisa detenidamente cada una.

Tu hijo llega a casa después de una fiesta, pero dos horas más tarde de lo que había dicho. No llamó para avisar que se retrasaría y no contestó tus llamadas a su celular. Estás irritado por la tardanza. Tienes estas alternativas:

1. **Conducta pasiva.** Saludarle como si nada y decirle "Qué bueno que llegaste, vete a dormir".

2. **Conducta asertiva**. He estado esperándote durante dos horas sin saber lo que pasaba (hechos). Me siento nervioso e irritado (sentimientos). Si otra vez te retrasas, avísame (conducta concreta). Esto permitirá que confié en ti para próximos permisos (consecuencias).
3. **Conducta agresiva**. Me has puesto muy nervioso llegando tarde. Es la última vez que sales a una fiesta de noche.

Tu hijo pide siempre de última hora lo que necesita para la escuela. Decides terminar con esta situación. Puedes crear el contexto preguntándole como lleva su trabajo, o esperar a que él lo realice cuando te pida otra vez que le ayudes a hacer algo. Las alternativas podrían ser:

1. **Conducta pasiva.** Estoy bastante ocupado, pero si no lo consigues, te puedo ayudar a buscar lo que requieres una vez más.
2. **Conducta asertiva**. Muy frecuentemente me pides que te lleve a comprar lo que con tiempo te han solicitado en la escuela (hechos). Estoy cansado y molesto de hacerlo, además es tu responsabilidad (sentimientos), así que intenta organizarte tú mismo la compra de tu material, sin esperar que yo te lleve (conductas). Seguro que la próxima te organizarás mejor (consecuencias).
3. **Conducta agresiva**. Olvídalo. Casi no tengo tiempo para hacerlo. No soy tu esclavo. Eres un irresponsable.

Recibes las calificaciones de tu hijo con más de cinco materias sin acreditar. Él se justifica diciendo que sus maestros no saben explicar…

1. **Conducta pasiva**.
2. **Conducta agresiva**.
3. **Conducta asertiva**.

Hecho personal (descríbelo lo más brevemente posible):

_____

_____

_____

_____

_____

Sentimientos:

_____

_____

_____

_____

Conductas esperadas:

·

_____

_____

_____

_____

Consecuencias:

_____

_____

_____

_____

Finalmente, es mucho lo que se puede decir sobre las ventajas de ser asertivo. Lo más importante es que el proceso de comunicación es más sano y cercano entre tu hijo y tú. Recuerda que la adolescencia es sólo una etapa. Al manejarla adecuadamente, pronto te descubrirás como amigo de un adulto sano emocionalmente. Vale la pena, ¿no crees?

Para los padres y maestros… sé consciente de tus sentimientos y de los del adolescente. Muestra empatía y comprende su punto de vista.

Para reflexión de los padres…

¿Qué clase de familia somos?

¿Qué significado tiene ser miembro de mi familia?

"Nuestro progreso como nación no será más veloz
que nuestro progreso en la educación"
JOHN F. KENNEDY

PADRES: ayuden a sus hijos a hablar más abiertamente de sus sentimientos; la forma más efectiva es escucharlos sin juzgar y sólo mediante preguntas dirigir nuestro diálogo al autoanálisis, siempre cuidando sus sentimientos.

MAESTRO: prepara actividades que enseñen a tus alumnos diferentes maneras de abordar situaciones, asertiva, pasiva y agresivamente.

Organiza un sociodrama utilizando situaciones en que los personajes representen los diferentes tipos de respuestas.

APLICACIÓN DEL OPTIMISMO INTELIGENTE

El mejor descubrimiento de mi generación es que los seres humanos
pueden mejorar su vida con sólo cambiar su actitud mental.
WILLIAM JAMES

Muchos investigadores buscan la respuesta de la relación entre el ambiente y el comportamiento. Pero, ¿por qué el número de adolescentes que sufre depresión va en aumento?

Características del adolescente pesimista:

❖ Potencial desarrollado a menos de 50%
❖ Se enferma más
❖ Rcpasa las ideas negativas
❖ Sentimientos de desamparo
❖ Ansiedad
❖ Actitud defensiva
❖ Estrés
❖ Miseria emocional
❖ Se siente culpable
❖ Depresión

Características de un adolescente positivo:

❖ Potencial desarrollado
❖ Es más feliz

❖ Es persistente
❖ Se distrae y vuelve a la carga
❖ Es más saludable
❖ Sentimientos de entusiasmo
❖ Mejor autoestima
❖ Es activo
❖ Rinde aun bajo presión
❖ Acomoda la realidad a su beneficio

Antes de profundizar aún más en el tema, haremos un ejercicio que te permitirá vivir lo que es la Programación Mental Positiva.

Ejercicio
Elige música relajante de fondo. Te sugiero que prepares el ambiente: velas, incienso, un sillón cómodo, etcétera.

Puedes grabar el ejercicio y escucharlo, o pedirle a alguien que te ayude leyéndolo con voz suave.

Recuéstate boca arriba. Respira profundamente. Percibe cómo el aire entra por tu nariz y sale por tu boca. Escucha la música mientras realizas el ejercicio.

Siéntete cómodamente. Mantén tu espalda relajada. Inspira y saca con fuerza el aire por tu boca. Libera toda tensión nerviosa.

Ya con el cuerpo relajado (después de una melodía completa de respiraciones) cierra los ojos, y vas a percibirte con precisión, realizando alguna actividad con éxito pleno.

Disfruta cada sensación. Toda la energía está puesta en la eficiencia. Disfruta de la paz del triunfo. Siéntete capaz, poderoso, vital y activo. Lentamente, una vez que termine la melodía, abre tus ojos, incorpórate muy despacio al aquí y ahora.

Anota a continuación una frase que identifique tu estado emocional en este preciso momento…

Todos aspiramos a ser felices. Deseamos también que nuestros amigos, nuestras familias y la gente próxima a nosotros lo sean, o quizás incluso que todo el mundo llegue a serlo. Pero, ¿qué es la felicidad? ¿Cómo se consigue? ¿Da felicidad el dinero?, ¿la salud?, ¿el amor? ¿Cuánta gente es feliz y qué la distingue de la gente insatisfecha o deprimida?

Sin duda, éstas son cuestiones de una enorme importancia para el ser humano, a nivel individual y social. A menudo parece que actuamos como si ya conociéramos sus respuestas a ciencia cierta. Sin embargo, aunque resulte paradójico, la ciencia parece haber olvidado la cuestión de la felicidad, que ya trataron los grandes filósofos, hasta hace escasos años. Mientras que gastamos presupuestos millonarios para enviar lanzaderas al espacio, descifrar y trastocar el código genético de las especies o desarrollar nuevas y más potentes tecnologías de "defensa", apenas dedicamos recursos para descubrir si todo ello nos servirá para vivir más a gusto en este planeta.

¿Cómo desarrollar el optimismo?

Algunos expertos recomiendan seguir las siguientes pautas para aprender a ser más optimista y enseñar a nuestros jóvenes a serlo:

1. Ponernos metas alcanzables y significativas para tu entorno personal. Esto implica tener expectativas reales y motivantes para cada uno de nosotros, revisables en periodos cortos y medibles en resultados.
2. Abrirte a las diversas posibilidades, las cuales podrán diferir de tus expectativas iniciales. Manejar la situación de tal forma que el sentimiento de frustración no te domine.
3. Reconocer y satisfacer tus necesidades personales. Es sorprendente el número de personas que desconocen sus necesidades y por ende descuidan su satisfacción.
4. Reconoce tus méritos y tus capacidades y busca su aplicación efectiva y concreta en la vida diaria.
5. Sé valiente y afronta tus miedos; al vencerlos descubrirás talentos no conocidos en el resguardo de la llamada seguridad personal.
6. Educa y perfecciona tu capacidad de goce. Disfruta cada cosa que hagas. No actúes sin disfrutar cada acontecimiento, tomando conciencia de que en todo lo que hagas, por sencillo que parezca, existe un toque de arte y creatividad.

El propósito es enseñar a nuestros hijos y alumnos a vivir de manera positiva frente a la vida y sus acontecimientos.

Cuando nosotros los adultos no resolvemos nuestros problemas con una actitud positiva, impartimos práctica sin proponérnoslo.

Martha, una adolescente de catorce años de uno de mis talleres de desarrollo humano, recibía frecuentes golpizas de su padre. La razón hacía mucho ruido: la abofeteaban y la llegaban a golpear incluso con objetos pesados como sillas. En una ocasión, Martha se quejó en el grupo de los golpes que recibió.

Para mí no era difícil de creer que Martha recibía constantes reportes de su escuela por ser agresiva con sus compañeros.

Martha decía que los golpes eran dolorosos, pero que la forma en que sus padres se expresaban, hablando las peores cosas de ella, lo era aún más.

Tener una actitud positiva ante nuestros hijos, esperar cosas buenas y sanas de ellos, en lugar de desgracias y dolor, genera un ambiente de desarrollo fructífero.

Tener una actitud positiva ante la vida, esforzarse por ver el lado amable de las cosas, dar con soluciones que busquen nuevas posibilidades de crecimiento, es precisamente lo que buscamos con este capítulo.

Herramientas para obtener una actitud positiva ante la vida

Nuestras actitudes, aquello que pensamos, sentimos y decimos, repercute siempre en nuestra vida, y por ende, con quien interactuamos.

Cuando una persona trabaja con su actitud positiva ante la vida se percibe como un ganador, pues no comete errores sin aprender de ellos. Hoy tenemos avances científicos y tecnológicos a todos niveles, pero cada vez tenemos más problemas para construir un temperamento que nos permita disfrutar del tiempo con alegría.

Enseñar y enseñarte a hacer frente de forma positiva a la vida, a las conductas y a los impulsos, debería ser nuestro reto personal.

Pero… ¿cómo tener y enseñar una actitud positiva?:

❖ Sonríe.
❖ Disfruta de las cosas, por insignificantes que éstas sean.

❖ Habla de cosas positivas la mayor parte del tiempo.

❖ Registra y comenta con tu familia las cosas agradables del día.

❖ Piensa en lo que te agrada, en lugar de pensar qué detestas.

❖ Ámate y ama. Reconoce lo especial de cada persona.

❖ Acéptate tal y como eres. Sólo existen dos clases de personas en el mundo: las maravillosas, y las que están en proceso de serlo. ¿De qué lado estás tú?

❖ Vive como un espejo que refleja lo mejor de cada uno.

❖ No contamines con palabras o gestos el ambiente de tu trabajo o de tu familia.

❖ Perdona y serás libre. Que nada perturbe tu paz mental.

❖ Por último, recuerda agradecer por todo y a todos. En especial a Dios.

❖ Recuerda que los padres y maestros son las figuras más poderosas y formativas ante los jóvenes.

Si queremos que nuestros jóvenes vivan con plenitud, debemos revisar nuestro propio viaje, si es con experiencias y metas o con pensamientos limitantes.

Es importante cuidar el no pasarles nuestro conflicto y mostrarles una forma de vida en la que sabemos disfrutar.

PADRES: busquen formas de generar un ambiente positivo en la familia. Recordar momentos en que se han sentido motivados. Darse premios por acontecimientos o logros (chocolates, una flor, etcétera). Motivar con el ejemplo a realizar actividades deportivas o recreativas.

MAESTRO: la mente es la fábrica que teje nuestro actuar por la vida. Revisa tu pensamiento y tu carácter. ¿Qué proyectas a tus alumnos? ¡Cuál es la semilla de tu pensamiento? ¿Sufres o disfrutas el dar tu clase.

Todo aquello que el hombre logra es resultado de sus pensamientos. Dime cómo piensas y te diré como vives.

No hay nada bueno o malo, sólo que pensándolo lo haces así
WILLIAM SHAKESPEARE

Enseñar y enseñarte a hacer frente de forma positiva a la vida,
a las conductas y a los impulsos debería ser
nuestro reto personal.

REDESCUBRIR EL COMPORTAMIENTO PROBLEMÁTICO

En una ocasión mandé llamar a los padres de un joven que permanecía en silencio, absorto en sus ideas durante todas las clases. Era el tipo de alumno que ningún maestro pondría en un reporte de conducta. Siempre estaba en su lugar, al parecer atento, y no era mencionado en ninguna junta. Cuando acudieron sus padres sorprendidos, pues nunca habían sido llamados por ninguna institución, les pedí que me hablaran sobre Luis. Era un adolescente de trece años de edad, hijo único, y con relativamente buenas calificaciones. Les comenté que había entrado a observar la clase y me pareció disperso en sus ideas, además de haberlo sorprendido en dos ocasiones sin entregar actividad. Pero parecía que, por ser un alumno que no inquietaba al maestro ni a sus padres, tampoco esto era notado. Ellos me contaron que en casa era tranquilo, y que ellos trabajaban en la misma, por lo que prácticamente siempre estaban juntos. Les pedí que me hablaran de la última conversación que habían sostenido con su hijo. Los dos voltearon a mirarse, y avergonzados, dijeron no recordarlo. Les pregunté que cómo habían cenado la noche inmediata anterior a la cita, y confesaron que frente al televisor, sin hablar. La madre trató de rescatar su posición. Me pidió que no me preocupara, que Luis era un joven independiente, y procedió a narrarme que una tarde que se encontraba trabajando, se olvidó por completo de la hora de la comida. Además de ello, no había nada en la despensa, así que el joven preparó como alimento a su mascota, un pececito llamado Jesús, que era su mejor amigo. Esta anécdota contada por los padres con gracia, fue vivida por el adolescente con mucho dolor. Una muestra de la terrible soledad en que se encontraba.

En una junta de maestros de la misma secundaria, uno de los profesores se sorprendió al ver la preocupación por Luis, un chico tan callado, que no daba problemas. Aparentemente.

Luis trabajó los doce pasos y el resultado fue un adolescente sano, activo y retador con seguridad en sí mismo, y dispuesto a expresar su opinión.

Muchas veces el problema puede pasar inadvertido, incluso por los padres.

Es importante evitar perder el contacto físico y emocional con nuestros adolescentes. Esto puede salvarlos de graves peligros.

Pepe es un adolescente de dieciséis años, alegre, noble, inquieto. Pero le ha ido muy mal en la escuela: repitió dos veces tercero de secundaria. Su padre vivía en Estados Unidos y venía una vez al año en las fiestas navideñas. Esta historia se repetía desde los 10 años de Pepe.

Su madre, Rocío, mujer trabajadora, no descansaba en todo el día, pendiente de sus dos hijos menores de 5 y 6 años. No había tiempo para abrazos, caricias o besos. El reto era salir adelante del día con la comida.

Dentro de las sesiones del taller siempre se tocan, independientemente de los temas, aspectos sobre sexualidad y droga, alrededor de la tercera sesión. Pepe reconoció consumir marihuana y cocaína desde hace dos años sin haber sido descubierto jamás por su familia. Cuando hablamos de ello, con lágrimas en los ojos, me comentó que sólo gritaba que no deseaba comer, que no lo molestaran, y eso bastaba para pasar horas bajo el efecto de las drogas sin que nadie se lo notara. Cuando me pidió apoyo para confesarlo a su madre, fue tal su sorpresa que se negaba a creerlo: "¡No puede ser posible que no me haya dado cuenta!" Definitivamente, había muchas otras cosas que Rocío, como madre de Pepe, se había perdido, las cuales lo estaban poniendo en riesgo.

Un caso definitivamente sorprendente y explicativo es el de Nubia, una joven de 15 años que fue traída por sus padres, porque algunas noches se les había perdido. Ella argumentaba que se quedaba caminando por la calle durante dos o tres días, y cuando se sentía relajada, volvía. Sus padres, molestos, trajeron a la joven al taller, aclarando que en diversas ocasiones faltaba a la escuela, y ya no sabían qué hacer.

Nubia pertenecía a una familia de altos recursos económicos. Su rostro mostraba tristeza, y una actitud retadora frente al mundo de los adultos.

Dentro de las sesiones, Nubia expresó su problema: comenzó a prostituirse junto con unas amigas de edades similares, y ahora tenía miedo de ser descubierta, y a la vez, no podía dejar lo que ella llamaba un gran negocio, en el que obtenía regalos y dinero que sus padres nunca cuestionaban.

Lo más importante es mostrarnos sensibles ante la problemática de los jóvenes. Algunos jóvenes tratan de ocultar su estado emocional para evitar preocupaciones, o porque realmente no están conscientes del problema.

No toda conducta errónea es fácilmente perceptible por los padres o maestros, mucho menos si éstos no se dan cuenta ni siquiera de su propia problemática personal.

Pero, ¿cuál es la manera de que un joven supere su problemática? Lo siguiente son algunas ideas o sugerencias que podrían ayudar al adulto para sensibilizarse a la dinámica del muchacho.

1. Observación… cuando un joven incurre en dificultades constantes en su entorno (expulsiones, problemas legales, problemas de aprendizaje, participación en disturbios, etcétera), ello significa situaciones más o menos ruidosas, que aunque parezca increíble, muchas veces son ignoradas por el adulto.

   La observación es más profunda. Yo lo llamaría "Contemplación". Contemplar al adolescente en su silencio, en su mutismo, en su ausencia, en su alejamiento, en su excesiva timidez. Todas estas conductas son altamente significativas.

2. Dar el primer paso, es decir, tomar la iniciativa de acercarnos a nuestros jóvenes. Esto implica arriesgarnos. Sé que muchos de ustedes me hablarán del dolor que les causa el rechazo de sus hijos o alumnos. Pero el dolor de ellos es más intenso.

3. Revisar las conductas contraproducentes de los padres o maestros. Un buen ejercicio de auto observación.

Recuerda que el maestro, más que conocimientos, enseña a sus alumnos a tener:

- Un alto concepto de sí mismos (la creencia de que son un ser importante y valioso).
- A ser independientes, libres de pensamiento, palabra y obra.
- A ser tolerantes y comprensivos (hacerlos fuertes-resilientes).

Lo más importante es mostrarnos sensibles ante
la problemática de los jóvenes.
Algunos jóvenes tratan de ocultar su estado emocional
para evitar preocupaciones,
o porque realmente no están conscientes del problema.

- A saber hacerse amar y respetar (asertividad).
- A saber que ellos, y sólo ellos, son responsables, por acción u omisión, de lo que les sucede.
- A saber que tienen la capacidad de encontrar por sí mismos la solución a cualquier problema que se les presente (creatividad).
- A aceptar a las personas como son. Encontrar la forma de tratarlas sin perjudicarse.

Para lograrlo, **no**…

- Amenaces o infundas temor
- No los critiques
- No los castigues
- No pretendas obligarlos a que sean como tú quieres

No toda conducta errónea es fácilmente perceptible por los padres o maestros, mucho menos si éstos no están conscientes ni siquiera de su propia problemática personal.

Recomendaciones:

- PACIENCIA
- Comprensión
- PACIENCIA
- Inteligencia
- Habilidad
- PACIENCIA
- Tacto
- Explicaciones
- PACIENCIA
- Observación
- PACIENCIA

El siguiente ejercicio te facilitará el proceso. Primero aplícalo a tu persona y luego al adolescente que estás observando. Es decir, partimos de la autoobservación a la observación contemplativa.

Guía de preguntas:

- Modo de despertarse por la mañana
- Modo de vestirse
- Modo de peinarse
- Organización de su cuarto
- Organización de su escritorio
- Modo de contestar el teléfono
- Modo de decir las cosas: repitiendo, chistosamente, formalmente, con disgusto, etcétera
- Tipo de lecturas
- Modo de afrontar un conflicto
- Forma de relacionarse
- Pasatiempos o diversión

¿Qué hábitos no te ayudan, y cuáles son los que te favorecen?

_____

_____

_____

_____

_____

¿Qué hábitos te describen más? ¿En qué te ayudan o desfavorecen?

_____

_____

_____

_____

¿Qué es probable que te impida alcanzar tus metas más importantes?

_____

_____

_____

_____

_____

Selecciona una de tus conductas contraproducentes y anótala.

_____

_____

_____

_____

Escribe por lo menos tres formas o ideas de vencer la conducta referida.

_____

_____

_____

_____

_____

El siguiente paso, el poder de la resiliencia, complementa una mancuerna perfecta ya que se ha detectado la problemática.

PADRES: identifiquen las causas que provocan el problema; por lo general son repetitivas. Piensen qué es lo que los saca de sus casillas, revisen su capacidad de comprensión y la forma en que se comunican. Enséñele a sus hijos a identificar lo que realmente es importante y conveniente para ellos.

MAESTRO: utiliza actividades de relajación, ejercicios de respiración y concentración antes de iniciar tu clase. Procura ser flexible con el manejo del tema; asiste siempre preparado para dar giros o cambios a tus actividades conforme al ambiente en clase. Nunca ignores las circunstancias del grupo antes de comenzar a trabajar.

La observación es más profunda.
Yo lo llamaría "Contemplación".
Contemplar al adolescente en su silencio, en su mutismo, en su ausencia, en su alejamiento, en su excesiva timidez.
Todas estas conductas son altamente significativas.

EL PODER DE LA RESILIENCIA
La oculta capacidad del ser humano

La paciencia y la fortaleza conquistan todas las cosas.
EMERSON

Es un término que se refiere a la capacidad de un material determinado de mantener su forma después de someterse a una presión deformante.

Aplicado al ser humano, es la fortaleza de desarrollo personal positivo, a pesar de las condiciones de vida. La capacidad de salir fortalecido frente circunstancias adversas. Esto se traduce a mejorar nuestra respuesta tras la crisis.

En este campo de fortalecimiento humano, el conflicto es la base del desarrollo, crecimiento y transformación constante.

Víctor Frankl, quien sobrevivió a un campo de concentración, logra salir fortalecido de su experiencia.

¿Cómo se traduce la resiliencia aplicada a la formación del adolescente? Sencillamente en acrecentar el tesoro escondido de nuestros jóvenes. Enseñarles a descubrir su capacidad de hacer bien las cosas, a pesar de las condiciones adversas o poco favorables.

Ahora dejo a tu consideración una serie de principios que desarrollan la capacidad de resiliencia en el ser humano:

a) Una relación de aceptación incondicional de la persona. Aceptación del joven, independientemente de su conducta. Este principio es fundamental y significativo.
b) Establecer la relación entre la conducta y la consecuencia inmediata, identificándolo con un modelo positivo de comportamiento.
c) Convencimiento, más que control de la vida y comportamiento del joven.
d) Fomento de su autoridad a través del respeto mutuo.
e) Buscar la salud mental a través del sentido del humor.

La resiliencia muestra la necesidad de buscar en nuestros recursos personales una multiplicidad de alternativas para resolver conflictos diarios, en beneficio del joven y de su entorno social.

Enseñar a nuestros jóvenes a ser tenaces y a desarrollar su talento para afrontar procesos adversos.

El concepto de resiliencia no es reciente. En la Biblia se habla de Job, quien logra sobreponerse de una pérdida total de familiares y bienes materiales.

La resiliencia nos lleva a concentrarnos en cada individuo como alguien único, enfatizando los potenciales que le permitan enfrentar la situación específica, por más adversa que ésta sea.

A lo largo de la historia aparecen individuos destacados que hicieron aportaciones significativas para la humanidad, quienes enfrentaron severas circunstancias adversas. Tal es el caso de una adolescente judía, Ana Frank, condenada a vivir oculta con su familia durante dos años. En su diario encontramos frases como: "yo quiero", "yo puedo", "yo soy", "yo voy a poder", "yo espero".

Ana Frank fue capaz de mantener el optimismo y confianza. Quien tiene confianza y coraje, no zozobra jamás en la angustia.

La resiliencia es el modelo del desafío y la fortaleza, del positivismo inteligente, de una realidad motivante, en lugar de depresiva.

No podemos negar que resulta atractiva la posibilidad de desarrollar la resiliencia desde pequeños. Esto es una inspiración para los educadores.

La resiliencia muestra la necesidad de buscar en nuestros recursos personales una multiplicidad de alternativas para resolver conflictos diarios, en beneficio del joven y de su entorno social.

¿Cómo podríamos formar jóvenes resilientes?

Primer paso. Tener contacto personal positivo, activo y flexible. Comunicarnos demostrando afecto y empatía. Promover sus relaciones y su convivencia social.

Segundo paso. Promover que resuelvan sus problemas y que identifiquen las causas. Promover su habilidad de reflexión y búsqueda de soluciones y alternativas.

Tercer paso. Fortalecer su independencia y autodisciplina. Recordarles que ellos pueden. Que son dignos de aprecio y cariño por lo que son, y no por lo que hacen.

Cuarto paso. Cuidar el manejo de límites. Que tome conciencia del problema y el riesgo, y que los evite.

Quinto paso. Recordarle que puede, y seguramente, va a equivocarse. Invitarlo a identificar, no la culpa, sino la responsabilidad y la enseñanza implícita en el problema.

Ejercicio

Analiza en la siguiente actividad si promueves en los adolescentes la resiliencia. Te propongo que leas detenidamente las siguientes situaciones vivenciales y respondas con sinceridad lo que harías. Al finalizar el ejercicio encontrarás alternativas de respuestas. Evita verlas antes de terminar el ejercicio.

Una adolescente de 12 años llega a casa con olor a cigarro. Su madre lo percibe y actúa…

_____

_____

_____

_____

Un adolescente de 15 años responde agresivamente a una llamada de atención por su conducta (falta justificada, pero no reconocida por el joven). El maestro, al oír los gritos del adolescente…

_____

_____

_____

_____

_____

Un adolescente de 14 años copia un trabajo de un compañero y lo presenta como suyo. El maestro lo descubre, y manda llamar a sus padres. El joven reconoce haberlo hecho, pero de ninguna manera muestra remordimiento alguno.

El maestro actúa…

_____

_____

_____

_____

Los padres actúan…

_____

_____

_____

_____

En el primer caso, no se promueve la resiliencia. Se ofende, regaña o castiga a la joven sin escuchar su versión del asunto. La madre observa el problema, independiente de la joven, le muestra su preocupación por la adolescente y le pide a la misma identifique las consecuencias del acto.

En el segundo caso, el maestro pide al alumno que se presente al salir de clase en su oficina. Con actitud relajada y sin juicios, le hace ver su punto de vista, y aplica una consecuencia relacionada con el acto indisciplinario.

En el tercer caso, maestros y padres escuchan con la firme intención de formar al adolescente. Inclusive se le invita a que él proponga una posible consecuencia de sus actos. Nos sorprenderemos de las acertadas y firmes consecuencias que suelen imponerse.

La siguiente guía te servirá para plantear la situación objetivamente.

Recuerda alguna situación en la que te hayas encontrado frente a un adolescente, y se dé la oportunidad de aplicar la resiliencia.

Describe la situación:

_____

_____

_____

_____

¿Qué hiciste?

_____

_____

_____

_____

¿Cuál fue la respuesta del adolescente?

_____

_____

_____

_____

_____

¿Cómo fue el desenlace?

_____

_____

_____

_____

_____

Revisa la forma como se manejó el problema. Comenta tu reflexión con las partes involucradas, y revisa si mejoró la comunicación.

Perfil de la persona resiliente

Califica de 0 a 10 el porcentaje de resiliencia personal.

Capacidad de respuesta	
Flexibilidad	
Empatía	
Actitud afectiva	
Habilidad para comunicar	
Sentido del humor	

Pensamiento crítico	
Creatividad	
Iniciativa	
Control interno de emociones	
Autoeficiencia	
Conocimiento propio	
Autodisciplina	
Intereses específicos	
Metas	
Motivación	
Aspiración educativa	
Optimismo	
Persistencia	
Fe y espiritualidad	

Observa tu promedio general de vida resiliente y formúlate nuevas metas:

_____

_____

_____

_____

_____

PADRES: busquen fortalecer la actitud resiliente en su hijo, recuerden que el ejemplo arrastra. Estimulen la comunicación. Faciliten la forma de plantear un problema y no olviden reconocer los esfuerzos.

MAESTRO: identifica el contexto familiar y social del adolescente. Protege en todo momento la dignidad del joven. Hazte las siguientes preguntas antes de una intervención.

¿La forma de plantear el problema genera comunicación de ambas partes?
¿Mejora sus vínculos familiares y sociales?
¿Los padres participarán en el proceso?

Obsérvalo trabajar en otras materias, en especial donde no ha generado conflicto. Aplica la resiliencia en tu actividad laboral todos los días.

CREATIVIDAD EN ACCIÓN

*Soy lo suficientemente artista para utilizar
la imaginación y dibujar libremente.
La imaginación es más importante que el conocimiento.
El conocimiento es limitado. La imaginación contiene al mundo.*
EINSTEIN

El ejercicio de la creatividad, y la libertad para ejercerla por parte de los adultos que rodean al adolescente, es determinante.

Una autoestima sana va relacionada con una persona creativa.

Al tener una autoestima saludable, la actitud ante el fracaso, por medio de la creatividad, se transforma en energía que lo lleva a buscar resultados nuevos. El joven descubre cualidades que lo hacen sentirse especial, apreciado, distinto, respetable.

¿Qué podemos hacer para desarrollar el pensamiento creativo en nuestros adolescentes?

1. Animarlos a que expresen sus ideas en forma diferente, en lugar de reprimirlos.

   Mientras observaba una clase para efecto de retroalimentar al maestro, ocurrió algo significativo sobre el tema. La maestra de Biología a nivel secundaria daba su clase explicando paso por paso la manera de obtener un resultado, aplicando una fórmula. Julián parecía emocionado con su libreta mientras la maestra exponía. Al recordar que estaba siendo observada, la maestra llamó la atención de Julián: "¡¿Qué haces que no pones atención a los pasos?! No pienso explicarte nuevamente".

Julián, emocionado, expuso: "Maestra, encontré una forma más sencilla de obtener el resultado".

La maestra, molesta, respondió sin pensar: "¡Ya basta! Aplica como yo te lo dije y punto. Es así cómo vendrá en tu examen".

Pero, afortunadamente, el resto de los muchachos buscaron a Julián para que les explicara el método más rápido y sencillo.

La maestra, ya presionada por el grupo, invitó a Julián a realizar un ejercicio distinto con su fórmula, mientras ella lo hacía con el método tradicional.

Gran sorpresa.

Efectivamente, Julián terminó antes, y con el mismo resultado.

La maestra trató de controlar al grupo que ya desbordado, reconocía a Julián. Afortunadamente para ella, el timbre del receso la rescató. Ya a solas, en la retroalimentación, ella me hablaba de su tensión frente al grupo al sentirse superada por un alumno. Fue entonces cuando me permití hablarle sobre la creatividad, y juntas disfrutamos de la posibilidad de ofrecer a nuestros jóvenes más espacio para generar alternativas diferentes. Por suerte el ambiente de la escuela alternativa permitía esta posibilidad.

2. Respeta su forma de expresarse. Los jóvenes requieren externar sus ideas sin sentirse juzgados. Si tú generas un espacio para ello, descubrirás lo agradable y placentero que es hacerlo contigo mismo.

3. Evita minimizar su capacidad. La frase clásica "Tú no sabes" ha acabado con muchas posibilidades y descubrimientos de grandes talentos.

Induce a los jóvenes a la originalidad. Genera su iniciativa y permite que con fluidez se expresen, sin olvidar ser flexibles a las respuestas. Recuerda, la creatividad despierta la iniciativa y la independencia de nuestros adolescentes.

No te preocupes, todos somos creativos. Sin embargo, es posible establecer niveles de acuerdo con la inteligencia, motivación interna, autoestima y capacidad de tolerancia a la frustración.

La creatividad es una facultad humana que aporta al ser humano recursos y experiencias sorprendentes. Es un don que va más allá del arte. Crear significa dar luz. Producir, innovar, transformar.

A continuación, define la creatividad:

_____

_____

_____

Para saber qué tan creativo eres, ¿por qué no revisas el siguiente ejercicio?

Evalúa: 1 nunca, 2 algunas veces, 3 siempre.

Significados a evaluar	1	2	3
Analizas los problemas desde diferentes puntos de vista.			
Pienso más de tres soluciones para cada problema.			

Manejo bien más de dos cosas a la vez.			
Me considero una persona curiosa, observadora y flexible.			
Prefiero un ambiente libre al restringido.			
Cambio rutinas para hacer ameno el momento.			
Si te dicen que algo no se puede, persistes.			
Te motivan los retos y los cambios.			

Entre más alto sea tu puntaje, mejor. El índice más alto es 24. ¿Qué tan cerca quedó tu resultado?

El ser humano, desde su nacimiento, busca crecer, dejar huella, trascender a la experiencia. Desea ser recordado por sus logros o creaciones. Esto lo motiva a salir adelante, modificando lo existente.

Nuestra creatividad aumentará en proporción al interés que nos despierta la vida, la escuela, el trabajo, la familia. Es buscar hacer divertidas y originales las cosas cotidianas.

Educar en la creatividad es educar en el cambio. Formar personas ricas en originalidad, flexibilidad, visión, iniciativa, confianza, para afrontar los obstáculos.

No se puede hablar de creatividad sin amor al cambio,
al gusto por disfrutar lo que se hace.

Realiza el siguiente ejercicio, que pretende guiarte como adulto a una comunicación más creativa.

Una familia decide cambiar de ciudad. Al llegar al nuevo lugar, descubren que no es como pensaban.

1. ¿Qué le ocurrió a esta familia en la toma de decisiones?

_____

_____

_____

_____

_____

_____

_____

2. ¿Cómo pueden resolver el problema? Escribe, al menos, tres variables de respuesta.

_____

_____

_____

_____

_____

3. Menciona dos posibles consecuencias de cada alternativa de respuesta.

_____

_____

_____

_____

4. ¿Cómo puedes aplicar el ejercicio a tu vida personal?

_____

_____

_____

_____

El siguiente ejercicio que te propongo, además de sencillo, permite la relajación del sistema nervioso y libera los pensamientos creativos. Sólo requerimos de colores, cartulina, música suave y por supuesto, imaginación.

Proceso: En una habitación silenciosa, pon música de fondo suave, cierra tus ojos e imagina un símbolo que te represente, puede ser un tipo de flor, planta, paisaje, animal, platillo de comida. Observa mentalmente, durante el tiempo que dura una pieza musical, los rasgos del objeto que te representa. Observa detalles, colores, aromas y más.

A continuación, toma tus colores y plásmalo en la cartulina. Date 15 minutos para ello.

Anota las observaciones que descubras en tu dibujo. ¿Qué emociones te representa? Obsérvalo como agente externo, y anota tu conclusión:

_____

_____

_____

_____

_____

El siguiente ejercicio es de los que más disfruto con mis alumnos. Te invito a vivirlo. Sólo requieres de un espejo y ambientación (recuerda: música suave, luz tenue, velas o incienso, etcétera).

El espejo, creatividad y liderazgo

Contesta brevemente y sin pensarlo mucho:

Yo soy bueno cuando:

_____

_____

_____

_____

Yo soy malo cuando:

_____

_____

_____

_____

Enumera cinco "yo debería":

_____

_____

_____

_____

_____

Trato de dar la impresión de que…

_____

_____

_____

_____

Yo controlo a los demás…

_____

_____

Me niego a…

_____

_____

Temo que los demás piensen que yo…

_____

_____

Si fuera sincero yo diría…

_____

_____

Tengo miedo de…

_____

_____

Cuando me enojo yo…

_____

_____

Busco aparentar…

_____

_____

Me niego a sentir…

_____

_____

Yo no soy…

_____

_____

Mis conceptos sobre:

Las mujeres

_____

_____

Los hombres

_____

_____

El amor

_____

_____

El éxito

_____

_____

El fracaso

_____

_____

El dinero

_____

_____

Dios

_____

_____

Colócate frente a un espejo y observa la imagen que reflejas. ¿Te sientes conforme con ella? ¿Te inquieta o incomoda verte al espejo? Trata de ir más allá de lo que ves. ¿Lo que has escrito se refleja en tu imagen?

Anota tus observaciones:

_____

_____

A continuación te proporciono lo que yo llamo "puntos de poder"...

Observa de qué manera podrías aplicarlo a tu vida personal.

> "Cada uno de nosotros es responsable de su experiencia.
> Cada pensamiento que tenemos crea el futuro.
> Necesitamos abandonar el pasado.
> El punto de poder está en el presente."

Otro ejercicio...

Recuerda que el tema es creatividad. Disfruta el siguiente trabajo de relajación. Te sugiero que grabes en una cinta las instrucciones. Pon música suave y ¡a disfrutar!...

Meditación del hombre sabio

Quiero que te imagines que estás caminando
por un sendero en la montaña, de noche.
Hay una luna llena y eso te permite ver el sendero
con toda claridad y gran parte de los alrededores.
¿Cómo es el paisaje? ¿Cómo te siente en este momento?
Adelante tuyo hay un pequeño camino lateral,
que conduce a lo alto, hacia una cueva donde
vive un hombre (o mujer, según el caso) muy sabio,
capaz de responder cualquier pregunta que quieras hacerle.
Toma ese sendero lateral y camina
hacia la cueva del hombre sabio...
observa cómo cambia a su alrededor mientras avanzas
por el camino y te acercas a la cueva.
Cuando llegues a la cueva verás una pequeña fogata
y encontrarás al hombre sabio junto al fuego.

Acércate, pon más leña sobre el fuego
y siéntate junto al sabio.
Toma tiempo en darte cuenta de su ropa,
de su cuerpo, de su piel y de sus ojos.
Ahora pregúntale al hombre una cosa
que sea importante para ti.
Mientras formulas la pregunta, observa su reacción.
Él puede contestarte, escucha la respuesta atentamente.
Conviértete ahora en el hombre sabio…
¿cómo es su existencia?
¿Qué quiere decirle al visitante? ¿Cómo lo observa?
Nuevamente sé tú mismo.
Pronto tendrás que despedirte del hombre sabio.
Di lo que desees. Antes de irse,
justo cuando estás por despedirte,
el hombre sabio se pone de pie,
y de entre sus ropas saca un regalo que te entrega.
Obsérvalo. Dile al sabio lo que sientes, y despídete.
Ahora, sal de la cueva y comienza a descender.
Mientras caminas por el sendero,
mira cuidadosamente el camino.
Toma conciencia de cómo se siente.
Observa detenidamente el objeto que te regaló.
Ahora, guarda cuidadosamente el regalo en tu corazón,
y despídete de las imágenes.
Lentamente abre tus ojos aquí y ahora, otra vez.

Anota a continuación el resultado de tu experiencia:

_____

_____

_____

Es increíble, pero cada vez que haces este ejercicio, el resultado es diferente. ¡Compruébalo!

Un ejercicio más frente al espejo

Mírate al espejo, repite "Merezco tener una vida maravillosa. Soy una persona valiosa y merezco tener una vida especialmente maravillosa".

Merecimiento

Merezco una vida maravillosa.
Merezco todo lo bueno de la vida.
Ahora mismo, dejo atrás todos mis pensamientos
negativos y destructivos.
Abandono en este preciso momento
cualquier limitación que mis padres,
maestros y yo mismo me haya hecho.
Me amo y voy más allá de sus opiniones.
No estoy atado por temor alguno.
Ya no me identifico con limitaciones.
Me declaro libre.
Dispuesto a disfrutar mi nueva vida,
donde me permito ser creativo
y tener más de una respuesta, más de una solución.
Merezco ser feliz. Merezco el amor.
Merezco mi respeto y el de los demás.
Me declaro infinitamente amado y aceptado por dios.

PADRES: Venzan el temor al ridículo. Las personas poco creativas vienen de ambientes inseguros, pasivos, sumisos, dependientes, repetitivos, más que activos.

Observen si en casa existe una atmósfera creativa o se repite año tras año la misma rutina.

Estimulen la perseverancia y la responsabilidad del joven soñador.

Planteen problemas y pídanle al menos tres alternativas de solución.

MAESTRO: Desarrolla la confianza en tu alumno. Permite que reine la originalidad en tu clase. Abre tu mente, asume los riesgos. Pregúntate de qué forma puedes hacer tu trabajo diferente. Vence tu temor al error.

Para reflexionar...

- ¿Despierto iniciativa en los alumnos?
- ¿Busco la adquisición de hábitos?
- ¿Doy explicaciones innecesarias?
- ¿Respeto el trabajo individual?
- ¿Favorezco la investigación?
- ¿Empleo el tiempo de clase para observar?
- ¿Animo más que censuro?

Secretos que funcionan

- Promueve una interdependencia positiva. Si no tiene éxito uno, no tienen éxito todos como parte de un equipo, porque nos importan los otros. Es cuestión de hacer un alto y ofrecer alternativas en grupo.
- Las metas grupales.
- Dar papeles positivos, el alentador, el controlador, etcétera.
- Examinar a cada alumno por separado.
- Cada uno cuida de los otros.
- Este tipo de aprendizaje reduce la violencia y los conflictos en los salones.

"Me amo y voy más allá de sus opiniones.
No estoy atado por temor alguno.
Ya no me identifico con limitaciones."

ESTRATEGIAS PARA OBTENER RELACIONES DE EQUILIBRIO

El plan de Dios para nuestros jóvenes

No me digas que eres un muchacho. Irás dónde te envíe
y proclamarás todo lo que yo te mande.
No tengas miedo porque estaré contigo para protegerte.
Pondré mis palabras en tu boca.
Arrancarás y derribarás, edificarás y plantarás.
JEREMÍAS (1-10)

Quiero iniciar este especial capítulo con un cuento que escribí hace años, basada en mi trabajo con jóvenes "conflictivos".

"El pollito feo"

Hace mucho tiempo nació dentro de la especie de las aves, un pollito feo, pelón, miedoso, poco triunfador, contestón, latoso, preguntón, distraído. La señora gallina no recordaba cosa igual en su experiencia de maternidad.

El señor gallo, discutía constantemente con su esposa: "habrá salido a tu madre". "Es que yo no recuerdo haber sido tan inquieto y latoso, por qué diablos este pollo no era normal, como todos".

Mamá gallina y papá gallo estaban desilusionados. Desde pequeño, el pollito era tan inquieto. No había día en que no fueran llamados por algún vecino o algún maestro, para quejarse. Qué vergüenza.

El señor gallo decidió no darse por vencido. Comenzó a presionar en el fortalecimiento de su criatura.

"Vamos a poner a prueba tus pulmones", gritaba. "Imítame con todas tus fuerzas". Y el señor gallo lanzaba un poderoso canto que dejaba al pollo espantado.

"Vamos, inténtalo", exclamaba enojado el celoso educador… "sígueme. Otra vez, mil veces hasta que te salga un canto igual al mío".

El pollito intentaba e intentaba inútilmente obedecer, pues todos sus intentos terminaban en un fatal fracaso.

Es cuando surgía la tragedia. Todos gritaban, "¡Qué te pasa!", insultos, lágrimas y palmotazos llovían por todo su cuerpo.

Y es así como el pollito llegaba a la escuela, donde su experta maestra lo esperaba. "¿Qué pasó pollito? ¿Ahora qué desastre nos espera contigo?" Ése era su saludo de bienvenida.

"Ven, siéntate junto a mí, pues de otra manera no podré controlarte". La maestra marcaba tiempos, que por supuesto el pollito no alcanzaba a cumplir, pues el déficit de atención lo acompañaba. Todos debían someterse a un ritmo que el pollito no alcanzaba por más que lo intentaba.

"¡Qué torpe soy!", se repetía a sí mismo. Mientras sus compañeros seguían su ritmo, él terminaba al último, si es que terminaba. Y ante la vista de todos, no le quedaba más que hacer una broma para justificar su torpeza. Lo que, desde luego, generaba el disgusto de la maestra.

Una vez más, a la mañana siguiente, mandaron llamar del prestigiado colegio al señor gallo, quien repetía constantemente al pollito feo: "Quiero que el día de mañana seas un gallo de provecho", poniendo una cara de pocas ilusiones al ver a su pollito.

"Se lo pongo en sus manos", dijo papá gallo a la maestra. "No le vendrían mal unos cuantos reportes y regaños, para ver si se despabila". La maestra no hizo repetir la orden, y le propinó una ración diaria de gritos desenfrenados. Lo ponía en ridículo cuanta ocasión tenía delante de la clase, bajo cualquier pretexto.

Un día, pollito se contempló en un espejo. Realmente era muy feo. Todos tenían razón: era el más feo. Pensó que una criatura tan horrible no tenía derecho a estropear su familia.

Tomó una de sus plumas, y escribió en una hoja de plátano:

"Queridos papás:
No tengo la culpa de que hayan puesto tantas esperanzas e ilusiones en mí.

Yo no puedo pedirte que me llames guapo o inteligente. Sólo me bastaba que fueras capaz de perdonar mis defectos. Si esto te consuela, estoy arrepentido de haber nacido tan torpe, feo, débil, conflictivo, distraído y tonto".

El pollito dejó la carta en el corral, y luego apareció armado (para parecer lo que otros pensaban de él) en la escuela, donde los vigilantes, cumpliendo su deber de proteger a los otros pollitos de un pollito feo y conflictivo, dispararon hasta verlo morir. Jamás se percataron que el arma de pollito nunca estuvo cargada.

Desde entonces, cada vez que veo un pollito armado entrar por mi consultorio, confío una y otra vez en que el arma no está cargada, y hasta ahora "he acertado".

> Para mí es doloroso
> darme cuenta de la dificultad que
> como formadores tenemos de esperar
> cosas buenas de nuestros adolescentes.
> Te invito a reconsiderar tu actitud,
> y a cuestionar tu forma de acompañarlos,
> sin olvidar a Dios en nuestros proyectos.

Dios llama a los jóvenes al cambio. Ellos no están arraigados a ideas establecidas. Dios llama al joven para hacer algo bueno y revolucionario. Dios no está satisfecho con la situación actual. Dios busca en nuestros jóvenes la oportunidad de hacer algo nuevo.

Todos nos hemos preguntado: ¿Qué espera Dios de nosotros como padres? ¿Qué espera de nuestros jóvenes? ¿Cómo podemos hacer presente a Dios en nuestra familia?

Dios quiere y espera que preparemos a nuestros hijos como buenos servidores de nuestra nación.

Hoy existen padres y maestros que sacrifican a los jóvenes haciéndolos pedazos con su indiferencia y burla. Sólo les provocan miedo. Ante esto la orden de Dios es clara: "¡No hagan daño!"

Pero, ¿qué nos enseña la palabra de Dios para formar a nuestros hijos? Al aceptar a Yavé como Dios único, nos comprometemos a formar una familia unida en la que se viva con respeto. A no formar esclavos del vicio y de falsos dioses (dinero, fama, sexo). A enseñarlos a trabajar (que no coma el que no trabaje).

Jesús espera de los padres y maestros que formamos jóvenes, que cuidemos de elevar la importancia de vivir en el plan de Dios.

En los 25 años que llevo de trabajar con adolescentes, me he percatado de cómo la ausencia de Dios lleva a vivir a los jóvenes en un vacío que sólo es llenado por sexo prematuro, droga y otras desviaciones.

Por ello, es importante que hagamos un alto en el camino… en nombre del amor, de los jóvenes. No dudemos que el plan de Dios es mucho mejor que el nuestro.

Dios formó y modeló a nuestros hijos, formó a los padres y maestros. Dios dispuso la bendición a la familia y al trabajo del maestro para que sus esfuerzos fructifiquen y se multipliquen, a pesar de que algunas veces nos mostramos ciegos a los designios de Dios, lentos para entenderlo y sordos para escucharlo. Sin embargo, a pesar de nuestras limitaciones, Dios se comunica y promueve el designio en nuestras vidas.

Jesús espera de los padres y maestros que formamos jóvenes, que cuidemos el elevar la importancia de vivir en el plan de Dios.

Nombra tres rasgos que Dios observaría en tu papel de formador:

_____

_____

¿Qué consideras necesario para formar jóvenes fortalecidos en los valores para que Dios pueda usarlos para sus propósitos?

_____

_____

Necesitamos sabiduría para entender las verdades que Dios requiere que enfaticemos. La mejor técnica es el ejemplo; si tú como formador obedeces a Dios, ellos imitarán tu actitud.

Para enseñar el plan de Dios a los jóvenes, debemos preguntar cuál es el plan de Dios para los formadores.

Reflexión

- ¿Cómo respondes a la frustración?
- ¿Cómo reaccionas a lo que no puedes controlar?
- ¿Confías en Dios? ¿Te la pasas quejando?
- ¿Tienes respeto por el plan de Dios en tu vida?
- ¿Los jóvenes perciben la palabra de Dios en tu forma de vida?
- ¿Sirves amorosamente a Dios?
- ¿Vives el mandamiento de amar sin fingir?

Dios desea que uses todos tus talentos para preocuparte en la formación de otros. La manera en que respondemos a Dios es observada por nuestros jóvenes.

Pero, ¿qué está pasando en la vida de los jóvenes que formamos?

¿Amamos y servimos a Dios los formadores?

Los jóvenes aprenden de nosotros como formadores cuando hacemos lo que decimos.

¿Cuál es la meta de Dios para nuestros jóvenes? Que ellos sean como Jesús.

Si pudiéramos preguntar a Jesús, y de hecho podemos hacerlo a través de la oración, ¿qué debemos hacer?, seguramente nos responderá que lo sigamos, que seamos pescadores de hombres, que compartamos la buena nueva, que transmitamos el amor del padre en nuestra vida.

La invitación de Jesús es un llamado directo a vivir nuestra vocación con amor creciente. Reconocer nuestra capacidad y hacer cada vez mejor nuestra labor. Vivir en los valores y crecer y madurar en la fe.

Nos pediría la presencia activa como padres y maestros al llamado de Dios.

El señor tiene para cada uno de nosotros una misión. Un proyecto que nos realiza como personas y nos hace felices, y placentero nuestro camino por la vida.

Escribe cuál consideras tu compromiso para con Dios como formador:

_____

_____

PADRES Y MAESTROS: sean fieles al proyecto de vida que Dios tiene para ustedes y para esos jóvenes que pretenden formar. Manténganse en la oración. Es increíble la respuesta que recibimos de nuestro principal formador espiritual.

Oración

Ayúdame hoy Jesús, para que
en el silencio de mi corazón
seas tú quien hable en el momento
de la formación de nuestros jóvenes.
Dame un corazón amoroso,
libre de violencia y de amargura.
Un corazón capaz de amar y perdonar.
Un corazón que me permita aceptar,
corregir y amar en todo momento
a los jóvenes que a mí confiaste.
Líbrame de la prisa, del egoísmo de huir
y de cegarme ante las situaciones de conflicto.
Haz de mí un guía y observador
enamorado de Dios y de su palabra.
Déjame en silencio si he de ofender a los demás.
Déjame ciego antes de ver sólo sus defectos.
Déjame sordo antes de escuchar sólo sus reclamos.
Permíteme recordar que no estoy libre
de pecado, y que eso detenga mi mano
antes de lanzar la piedra de mi juicio fatal.
Haz que el perdón y el amor
sean mis recursos más empleados en la formación
de los jóvenes que a mí has confiado.
Amén

IMPORTANTE

Los casos presentados en este texto son auténticos. Son los nombres de los alumnos los que han sido modificados.

"Contraterapia"

Es un sistema de autoayuda en doce pasos que implica que tomes, como alumno o lector, la responsabilidad de tu proceso personal. Si estás bien, depende de ti, y si no lo estás, también es por tu causa, ya que únicamente dentro de ti está la solución a todo conflicto. Ya han dicho sabiamente que lo que importa no es el conflicto, sino la forma en que lo afrontas. Todo es cuestión de actitud.

Para la contraterapia, un problema es una oportunidad de crecer como persona en tus talentos y habilidades. Es una alternativa para interiorizar y descubrir más de una respuesta o solución para cada situación.

Contraterapia es el sistema que te ofrece estructura al pensamiento y a través de múltiples actividades, te facilita la toma de decisiones.

Lo mejor de la contraterapia es que este sistema te permite ver cada paso por separado y como parte de un todo. Es decir, puede ser que realizar un paso te lleve un día, una semana o un mes. El tiempo lo determinas tú como alumno o lector.

Contraterapia pretende ser un método sencillo de autoayuda que permite el encuentro de las cualidades indispensables para salir de un conflicto. Se muestra accesible a todo público, independientemente de su nivel académico.

Contraterapia fomenta la autonomía y el autodescubrimiento personal.

Se apoya en diversas técnicas de desarrollo humano, en el que el centro del tema eres **Tú** como protagonista y a la vez como observador externo.

Seguir los pasos de contraterapia no sólo es divertido, sino enriquecedor. Es todo un reto para solucionar nuestros problemas sin volvernos dependientes de largos procesos terapéuticos, sin pretender suplirlos.

La contraterapia puede ser confrontativa por su trabajo directo y profundo, pero resulta eficaz para aquellas personas que buscamos salir adelante, sin estancarnos en el problema durante largo tiempo.

¿Por qué doce pasos?

Cada paso representa un nivel de avance en el proceso. No se requiere comenzar por el primero. Cada uno es independiente e interrelacionado. Este método ha provocado, mediante diversos talleres personales y grupales, gran éxito. Los alumnos que lo han llevado a cabo han mostrado cambios sorprendentes.

Espero que hayas disfrutado cada paso de desarrollo personal. Te invitamos a que envíes tus comentarios y observaciones al correo electrónico:

exito.y.desarrollo@hotmail.com

Acerca de la autora

Blanca Mercado es actualmente la Directora del Centro de Desarrollo Humano y Calidad de Vida, centro que cuenta con diversos servicios planeados para alcanzar el crecimiento personal: cursos, talleres vivenciales y conferencias, todos relacionados con la superación y el autoconocimiento.

Asimismo, talleres como "Jóvenes triunfadores", "Taller para padres creativos", "Proyecto Auxilio para jóvenes en conflicto", "Mi pequeño líder", "Crecimiento y desarrollo personal", "Sanación mental positiva", "Monitores de relajación", "Autoestima femenina", "Salvando nuestro matrimonio", y otros más, de su creación personal.

Imparte cursos a nivel empresarial y personal.

Cuenta con estudios de Psicología, Derecho, Terapia Familiar Sistémica, Psicología Transpersonal y Desarrollo Humano, Terapia Gestalt, Programación Neurolingüística, Oratoria, Relaciones humanas, Danzoterapia, Terapia de la risa, Bioenergía, Maestria en Desarrollo Humano y Bioenergía, Doctorado en Desarrollo Humano y Manejo de grupos, entre otros.

Posee experiencia en el trabajo frente a grupo como maestra, facilitadora del aprendizaje significativo y orientadora educativa, así como coordinadora de proyectos de calidad académica.

Ha sido directora de secundarias, preparatoria y licenciatura en las más distinguidas instituciones educativas.

Ha recibido reconocimientos por su labor docente, como conferencista, en su trayectoria como estudiante y en la elaboración de sus tesis profesionales.

Fundadora del Centro de Desarrollo para la Mujer con el proyecto de Feminidad y autoestima.

Imparte cursos a empresas e instituciones educativas desde 1984.

Ha participado con éxito en secciones de diferentes programas de radio y televisión.

Actualmente conduce el programa de radio El Diván, Radio Terapia Interactiva, en Radio Mujer.

Participa como terapeuta en el programa Punto In de Guadalajara, en Televisa, Canal 4.

Te invito a profundizar en los diversos servicios que ofrecemos.

Reservaciones para cursos, conferencias y talleres:

Al teléfono: (33) 3823 0606

Al correo electrónico: exito.y.desarrollo@hotmail.com

Salto del Agua 2223, Jardines del Country
C.P. 44210, Guadalajara, Jalisco

Notas personales

Notas personales

Notas personales

Esta obra se terminó de imprimir
en octubre de 2011, en los Talleres de

IREMA, S.A. de C.V.
Oculistas No. 43, Col. Sifón
09400, Iztapalapa, D.F.